BENENDEN SCHOOL
LIBRARY

encyclopédie des jeunes

l'Histoire de France

découvrir l'enc

Cet ouvrage prend place dans l'Encyclopédie des Jeunes.
Il a été réalisé sous la direction éditoriale de Claude Naudin et de Marie-Lise Cuq par l'Atelier Martine et Daniel Sassier (AMDS), avec le concours de Nathalie Bailleux, Gérard Garriga, Catherine Salles pour le texte, et de Julien Sassier pour l'index.

conception graphique et direction artistique
Anne Boyer
assistée de
Emmanuel Chaspoul

maquette
Laure Massin

montage PAO
Atelier Michel Ganne

correction-révision
Annick Valade
assistée de Monique Bagaïni et Édith Zha

direction de l'iconographie
Nathalie Bocher-Lenoir
recherche iconographique
Évelyne Brochard

fabrication
Annie Botrel

couverture
Emmanuel Chaspoul et Véronique Laporte

remerciements à
M. Henri Bulawko, vice-président du CRIF

21, rue du Montparnasse, 75006 Paris

Distributeur exclusif au Canada : les Éditions françaises Inc.

l'Histoire de France

Cet ouvrage décrit les principaux événements, les grands personnages et la vie des Français de la préhistoire jusqu'à nos jours.

Comment utiliser ce livre

Cet ouvrage est divisé en cinq parties. Chacune d'entre elles est introduite par un sommaire qui énumère les différents chapitres et en donne un court résumé.

Chaque partie correspond à l'une des grandes étapes de l'histoire de France, des origines jusqu'à nos jours.

De grandes photographies, qui occupent une double page, illustrent des moments particuliers de cette histoire.

En fin de volume, une chronologie rassemble tous les rois et tous les chefs d'État qui ont gouverné la France.

Enfin, un index permet de repérer rapidement la page où se trouve l'information que l'on cherche.

yclopédie des jeunes

le titre du chapitre
Chaque chapitre se déroule sur une ou plusieurs doubles pages.

le texte d'introduction
Au début de chaque chapitre, il résume le sujet qui va être traité dans les pages qui suivent.

une photo panoramique
Elle illustre un des sujets du chapitre.

les textes de marge
Ils contiennent des informations complémentaires.

La Vᵉ République donne de larges pouvoirs au chef de l'État. Cinq présidents se sont succédé depuis sa mise en place en 1958 : Ch. de Gaulle, G. Pompidou, V. Giscard d'Estaing, F. Mitterrand et J. Chirac.

le général de Gaulle à Phnom Penh, en 1966, au Cambodge

La Vᵉ République

1958 Septembre : la Constitution de la Vᵉ République est approuvée par référendum.
Décembre : le général de Gaulle devient président de la République.
1960 Indépendance des colonies françaises d'Afrique noire.
1962 L'Algérie devient indépendante.
1965 Le général de Gaulle est élu président de la République au suffrage universel (décembre).
1968 Événements de Mai 68.
1969 Avril : démission du général de Gaulle.
Juin : Georges Pompidou est élu président de la République.
1970 Mort du général de Gaulle (9 novembre).
1974 2 avril : mort de Georges Pompidou.
Mai : Valéry Giscard d'Estaing est élu président de la République.
Juin : l'âge de la majorité passe de 21 à 18 ans.
1981 François Mitterrand est élu président de la République (mai) ; nombreuses réformes économiques, politiques, sociales.
1988 François Mitterrand est réélu président de la République (mai).
1992 Référendum autorisant la signature du traité de Maastricht (Union européenne).
1995 Jacques Chirac est élu président de la République (mai).

Un « bain de foule » du général de Gaulle à Rennes, en septembre 1958.

Revenu au pouvoir en mai 1958, le général de Gaulle fait aussitôt rédiger une nouvelle constitution, qui sera approuvée par un vote des Français. La Constitution de la Vᵉ République donne des pouvoirs étendus au président de la République (ou chef de l'État) : élu pour 7 ans (on parle de « septennat »), il nomme le Premier ministre, peut organiser un référendum (vote par oui ou par non sur une question), peut dissoudre l'Assemblée nationale (ce qui provoque une nouvelle élection des députés) et, enfin, peut obtenir les pleins pouvoirs en cas de circonstances exceptionnelles.
En décembre 1958, le général de Gaulle est élu par le Parlement (réunion de l'Assemblée nationale et du Sénat) à la présidence.

La fin de la guerre d'Algérie

De Gaulle a promis de ramener la paix en Algérie. En 1959, il reconnaît aux Algériens le droit de choisir, lors d'un vote, de rester français ou de devenir indépendants.
Les Français d'Algérie l'accusent de trahison. Créée par des partisans de l'Algérie française, l'OAS (Organisation de l'armée secrète) multiplie les attentats. De Gaulle poursuit pourtant les négociations avec les Algériens. Acceptés par les Français lors d'un référendum (avril 1962), les accords d'Évian préparent l'indépendance de l'Algérie. 800 000 Français d'Algérie (les pieds-noirs) préfèrent quitter le pays pour la métropole. La plupart des autres colonies françaises d'Afrique sont elles aussi devenues indépendantes, dès 1960.

Une certaine idée de la France

Charles de Gaulle a tellement marqué son époque que les historiens parlent parfois d'une « république gaullienne ». Il aime le contact direct avec la population (« le bain de foule ») et sait utiliser la télévision pour s'adresser aux Français.
De Gaulle a toujours souhaité que le président de la République ait un réel pouvoir. Dès la fin de la guerre d'Algérie, il demande par référendum qu'il soit élu au suffrage universel, car un président choisi par le peuple aura un poids incontestable. Les Français élisent leur président pour la première fois en 1965 ; de Gaulle l'emporte.
Le général de Gaulle veut aussi que la France joue un rôle de premier plan dans le monde, sans dépendre des grandes puissances, les États-Unis ou l'URSS. Il développe l'arme nucléaire (la première bombe atomique française explose en 1960) et quitte l'OTAN, organisation militaire fondée en 1949 autour des États-Unis. Au cours de ses nombreux voyages hors de France, il affirme sa volonté de soutenir les pays qui veulent échapper à l'influence des superpuissances. Il reconnaît ainsi la Chine populaire (1964), et dénonce la politique américaine au Viêt Nam dans un célèbre discours prononcé au Cambodge, à Phnom Penh (1966).

Croissance et crise

Sous de Gaulle, la croissance engagée dans les années 1950 se poursuit. La production industrielle et agricole augmente.
On commence à construire des cités nouvelles aux portes des grandes villes.
La main-d'œuvre manque et la France fait venir des immigrés pour travailler dans les usines et sur les grands chantiers.
Le niveau de vie des Français s'élève. Télévision, automobile, appareils électroménagers... deviennent des produits courants. On parle d'une société de consommation.
De nombreux jeunes, toutefois, rêvent d'une société plus vivante, moins préoccupée de son seul confort. « La France, dit un journaliste, s'ennuie. » Le mouvement étudiant de Mai 1968 et les grandes grèves qui l'accompagnent vont secouer le pays.

L'après de Gaulle

Un an plus tard, de Gaulle organise un référendum sur un texte complexe concernant à la fois une réforme du Sénat et la régionalisation. Le « non » l'emporte. Le soir même, dans la nuit du 27 au 28 avril 1969, le Général démissionne. Georges Pompidou, qui a été Premier ministre de 1962 à 1968, se présente aux élections présidentielles. Il l'emporte facilement. Pompidou poursuit dans ses grandes lignes la politique du général. Accélérant la construction de l'Europe, il accepte en 1973 l'entrée du Royaume-Uni, de l'Irlande et du Danemark dans le Marché commun. Mais la maladie écourte son septennat : il meurt en avril 1974. □

◄ Le président G. Pompidou en voyage officiel en Chine en 1973.

Mai 1968

À la fin des années 1960, de nombreux étudiants remettent en cause la société de consommation et l'organisation des universités.

Le mouvement part de l'université de Nanterre puis s'étend aux autres universités parisiennes. Les étudiants se mettent en grève (ci-dessus, l'occupation de la Sorbonne). Dans la nuit du 10 au 11 mai, ils dressent des barricades rue Gay-Lussac dans le Quartier latin, à Paris ; les forces de l'ordre (policiers et CRS) les affrontent. Très vite, le mouvement des étudiants, soutenu par les partis et les syndicats de gauche, gagne toute la France. La grève s'étend dans les usines, les transports, les administrations : la France est paralysée. Le 30 mai, de Gaulle annonce la dissolution de l'Assemblée ; dès le lendemain, le travail commence à reprendre.

la mini-chronologie
Elle donne les dates essentielles de l'ensemble du chapitre.

le titre de paragraphe
Chaque paragraphe développe un aspect fondamental du sujet.

la légende de la photo
Elle donne l'explication de l'illustration.

s o m m

a i r e

la France

des origines

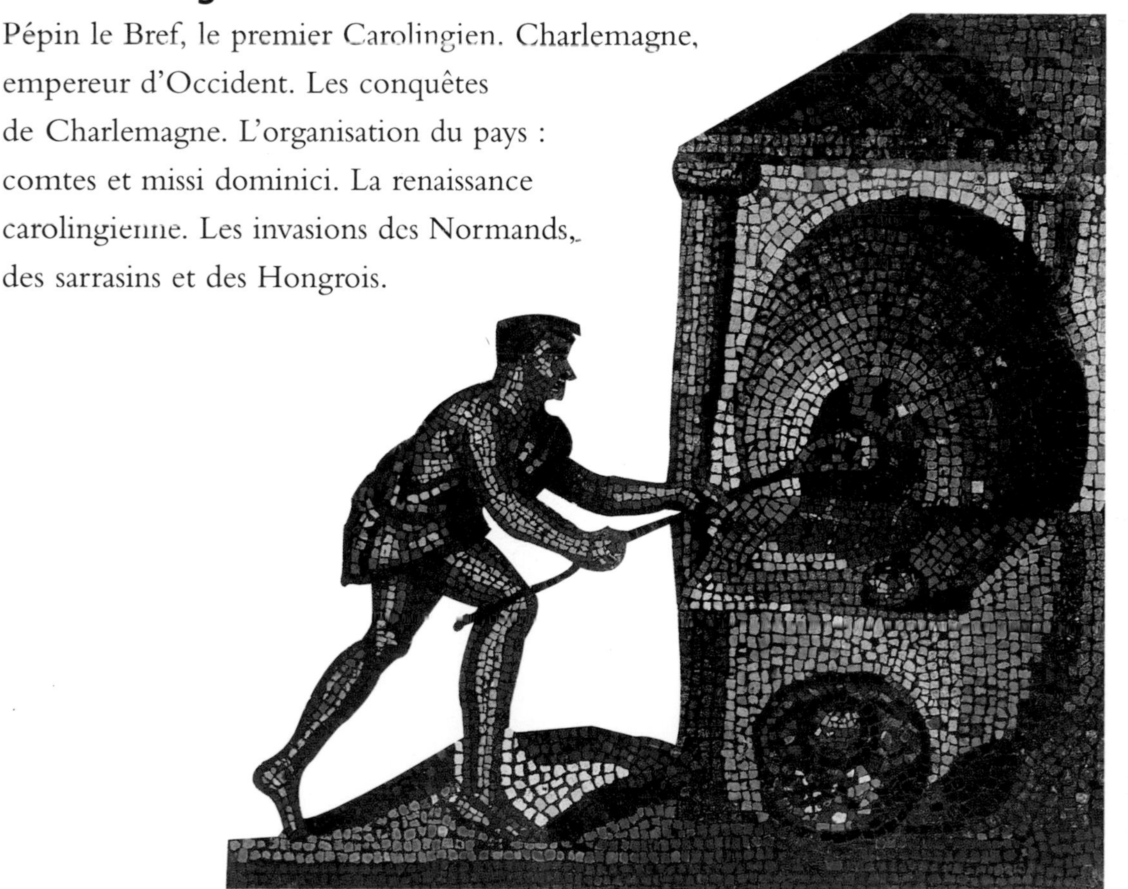

Après la période préhistorique, le pays qui va devenir la France est peuplé par les Gaulois. Puis la Gaule est conquise par Rome. Elle fait alors partie de l'Empire romain et connaît une longue paix.

De la préhistoire à la

AVANT J.-C.

1 000 000 Présence des premiers hommes en « France ».
400 000 Le feu est domestiqué.
100 000 L'homme de Neandertal remplace les premiers hommes.
40 000 L'homme moderne *(Homo sapiens sapiens)* arrive dans nos régions.
6000 Arrivée des premiers agriculteurs éleveurs.
4000 Début de la construction des menhirs et dolmens.
2500 Travail du cuivre.
1800 Travail du bronze.
750 Les premiers Celtes s'installent dans le pays ; ils apportent le fer.
Vers 600 Fondation de Marseille.
390 Les Gaulois pillent Rome.
125 Les Romains s'emparent de la Provence.
58-52 Jules César conquiert la Gaule.

APRÈS J.-C.

177 Des chrétiens sont martyrisés à Lyon.
Vers 235 Des Germains s'infiltrent en Gaule.
313 Le christianisme est autorisé dans l'Empire romain.
Vers 350 Alamans et Francs envahissent à nouveau la Gaule. Ils sont repoussés par l'empereur Julien.

Partis d'Afrique, les premiers hommes arrivent sans doute il y a 1,8 million d'années dans le pays qui sera un jour la France. Leur présence ne fait aucun doute il y a 1 million d'années.

Lointains ancêtres

Ces premiers hommes se déplacent sans cesse, cueillant des baies et des végétaux, chassant des animaux. Ils s'abritent à l'entrée de grottes, comme à Tautavel, près de Perpignan. Leurs outils en pierre sont assez grossiers. Il y a environ 400 000 ans, ils apprennent à utiliser le feu. Puis ces hommes disparaissent, laissant la place, il a environ 100 000 ans, à l'homme de Neandertal. Très robuste, bien adapté aux dures conditions climatiques de l'époque, celui-ci mène une vie proche de celle de son prédécesseur. Il fabrique de bons outils et enterre ses morts. Vers 40 000 ans environ, un nouveau venu va remplacer l'homme de Neandertal : *Homo sapiens sapiens,* notre ancêtre direct. Il ne cesse d'améliorer ses outils en pierre. Il travaille aussi l'os, l'ivoire, invente l'aiguille, qui permet de coudre les vêtements. Grand chasseur et pêcheur, il se déplace toujours beaucoup. C'est à cet homme que l'on doit les premières œuvres d'art. Les célèbres peintures de Lascaux (Dordogne), vieilles de plus de 15 000 ans, témoignent de son talent. Vers 10 000, un climat plus doux s'installe progressivement. Le temps des grands chasseurs du paléolithique (l'âge de la pierre ancienne) se termine. L'homme va vivre différemment.

▲ **Pointe de lance celte en fer.**

Alignement de menhirs à Carnac. ▼

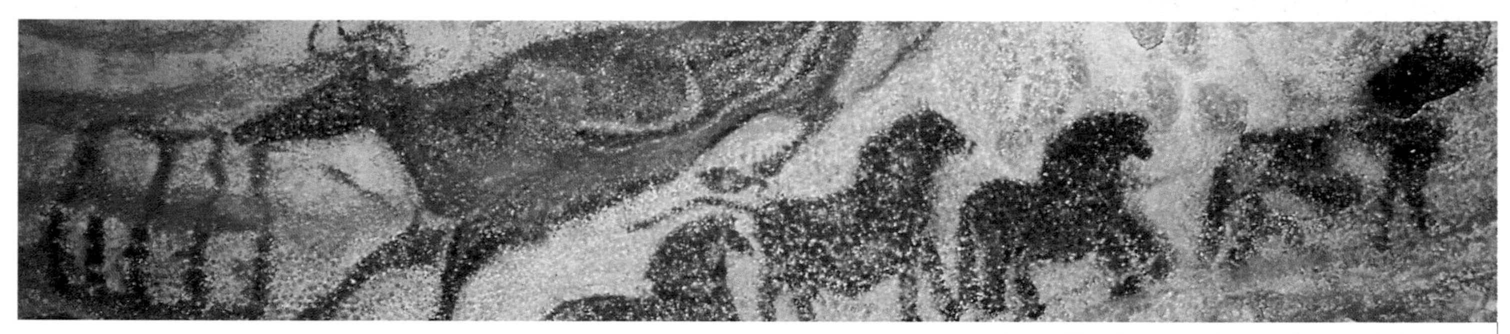

vache et frise de petits chevaux (grotte de Lascaux)

Gaule

Des agriculteurs

Vers 6000 av. J.-C., de nouveaux groupes humains parviennent dans le pays. Ils introduisent un mode de vie différent. Désormais, l'homme continue à chasser, à pêcher et à cueillir pour vivre, mais il commence aussi à produire. Il cultive des céréales, élève des animaux et vit dans des villages. Il fabrique des poteries et polit la pierre pour obtenir des outils plus efficaces. C'est le néolithique (l'âge de la pierre nouvelle). À partir de 4000 av. J.-C., ces agriculteurs construisent des mégalithes (de *mega*, « grand », et *lithos*, « pierre»). Ils dressent des menhirs, isolés, groupés ou alignés, comme à Carnac, en Bretagne, et des dolmens.
Vers 2500 av. J.-C., ces hommes apprennent à travailler un métal, le cuivre, pour façonner divers objets et des armes.
Les premiers objets en bronze apparaissent vers 1800 av. J.-C.

Le temps des Gaulois

Originaires d'Europe centrale, les Celtes arrivent dans l'est du pays vers 750 av. J.-C. Ils apportent avec eux un nouveau métal, le fer, beaucoup plus résistant que le bronze.
Les Celtes sont une société de guerriers dominés par des chefs. En Bourgogne, ces derniers vivent dans des lieux fortifiés – des citadelles – situés le long des routes qui relient le nord et le sud de l'Europe. Ils font du commerce avec l'Italie et certains ports grecs, comme celui de Marseille, fondé vers 600 av. J.-C.
Autour des années 400 av. J.-C., les Celtes commencent à envahir tout le territoire. Certains franchissent les Alpes pour s'installer en Italie du Nord. Ils vont même piller Rome en 390 av. J.-C. Les Romains appellent *Gallus* (« Gaulois ») ces envahisseurs, et *Gallia* (« Gaule ») le pays d'où ils viennent. Au cours des IIIe et IIe s., la Gaule s'organise. Les tribus plus puissantes, comme celle des Arvernes (en Auvergne), en dominent d'autres, plus faibles. Tous ces peuples, qui se combattent souvent, parlent la même langue et respectent les décisions de leurs prêtres, les druides.
Au IIe s. av. J.-C., le pays se trouve sous la menace des armées romaines, qui sont en train de conquérir l'Espagne. Le sud de la Gaule intéresse en effet les Romains. C'est une région riche et, en outre, elle leur permettrait de gagner l'Espagne par voie de terre, ce qui est plus sûr que de naviguer sur la Méditerranée. □

▲ Guerrier celte du IIIe s. av. J.-C.

Les artistes de la préhistoire ▼

Les premières œuvres d'art apparaissent il y a un peu plus de 35 000 ans.

Outre les grandes peintures qui décorent certaines grottes, les artistes de la préhistoire ornent aussi armes et outils en os et en bois de renne. Ils y gravent, y sculptent des animaux ou des motifs géométriques (croix, traits...). Ils confectionnent aussi des statuettes, et notamment, vers 25 000 av. J.-C., des figures féminines en pierre, en os ou en ivoire. Celle qui a été découverte à Brassempouy (ci-dessus), dans les Landes, est en ivoire. Cette tête ne mesure que 3,65 cm de haut. Elle est la plus ancienne représentation connue d'un visage humain.

le transport sur les rivières est important dans la Gaule romaine

Conquête et Gaule romaine

Vercingétorix

Cette pièce, frappée vers 48 av. J.-C., représente sans doute Vercingétorix. Après sa défaite, le chef gaulois est emprisonné à Rome et mis à mort en 46 av. J.-C. ▼

Poterie gallo-romaine

À la Graufesenque, près de Millau (Aveyron), les ateliers de potiers connaissent leur apogée au Ier s. apr. J.-C. Ils produisent en série, d'une façon presque industrielle, une céramique typiquement gallo-romaine, rouge, souvent ornée de motifs en relief. Cette poterie (ci-dessous, une gourde) est vendue à travers la Gaule et dans toute la partie occidentale de l'Empire romain. ▼

En 125 av. J.-C., la cité de Marseille, menacée par des tribus voisines, appelle Rome à l'aide. C'est l'occasion pour les Romains de pénétrer en Gaule. En quelques années, ils conquièrent une vaste région qui s'étend des Alpes aux Pyrénées. La Gaule du Sud devient ainsi une province romaine, la *Provincia,* qui donnera son nom à la Provence actuelle.

Vercingétorix et la fin de la Gaule indépendante

En 58 av. J.-C., le général romain Jules César, gouverneur de la Provincia, répond lui aussi à l'appel de tribus gauloises amies. Avec ses légions, il passe en Gaule indépendante et en chasse les Helvètes, des Celtes venus de Suisse, et les Suèves, des Germains. Mais, au lieu de regagner la Provincia, il entreprend la conquête du pays, soumettant les tribus gauloises, réprimant des révoltes. Cependant, les régions du centre, domaine des puissants Arvernes, restent libres.
En 52 av. J.-C., César doit affronter un vaste soulèvement dirigé par le chef arverne Vercingétorix. Battu devant Gergovie (Auvergne), le général romain se replie vers la Provincia. Poursuivi, il contre-attaque et oblige les Gaulois à se réfugier dans la place forte d'Alésia. Assiégé, Vercingétorix finit par se rendre. L'année suivante, les derniers mouvements de résistance sont anéantis. La Gaule se trouve désormais sous la domination de Rome.

Statue du guerrier mort d'Alésia. ►

Les Gallo-Romains

À la fin du Ier s. av. J.-C., Auguste, successeur de César et premier empereur romain, divise la Gaule en quatre provinces et choisit Lyon pour capitale commune.
Peu à peu, de nombreux Gaulois adoptent la langue – le latin – et les modes de vie des Romains (c'est pourquoi on les appelle des Gallo-Romains). Le pays se couvre de villes bâties en pierre et en brique, alimentées en eau par des aqueducs (canaux conduisant l'eau). Les Gallo-Romains fréquentent les établissements de bains – les thermes –, assistent aux combats d'animaux ou de gladiateurs dans l'amphithéâtre ou aux courses de chars dans le cirque, applaudissent les spectacles joués au théâtre ou se retrouvent sur la place publique, le forum. Ils continuent à honorer les divinités gauloises, qu'ils associent souvent à divers dieux romains, et, comme tous les peuples de l'Empire, doivent rendre un culte à l'empereur.
Dans le courant du IIe s. apr. J.-C., des religions venues d'Orient se répandent. L'une d'entre elles, le christianisme, commence à s'implanter dans quelques villes. Les chrétiens, qui ne reconnaissent qu'un seul Dieu, refusent d'offrir des sacrifices à l'empereur. Ils sont alors persécutés, tels l'évêque Pothin, l'esclave Blandine et leurs compagnons, qui périssent, livrés aux fauves, dans l'amphithéâtre de Lyon en 177.
La Gaule, protégée des attaques des tribus germaniques par une ligne de fortification – le *limes –,* installée sur le Rhin dès le Ier s. apr. J.-C., connaît la paix et la prospérité. Dans les

le dernier repas du Christ et de ses disciples est sculpté sur ce sarcophage gallo-romain

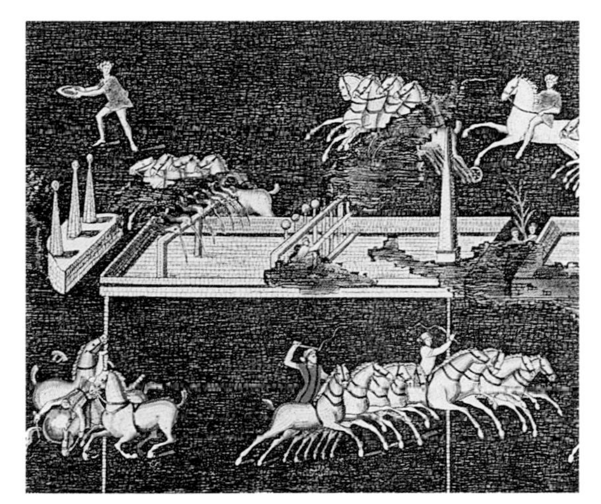
Course de chars dans le cirque (mosaïque retrouvée à Lyon).

campagnes en plein essor, où s'installent de grandes exploitations, les *villae,* la culture du blé s'étend, ainsi que celle de la vigne, importée d'Italie. L'artisanat se développe. Le réseau routier, mis en place par les Romains, et les rivières navigables favorisent le commerce. La Gaule exporte des poteries, des charcuteries, du vin, du blé ou des manteaux de laine à travers tout l'Empire romain.

La Gaule sous la menace des Barbares

En 235, l'assassinat de l'empereur Sévère Alexandre marque le début d'une crise grave. Les empereurs ont moins de pouvoir. Les armées délaissent les frontières. La Gaule vit des années difficiles. Des Barbares, Francs et Alamans, franchissent régulièrement le *limes,* de plus en plus mal défendu, et pillent le pays. Les villes se dépeuplent et s'entourent de remparts. Dans les campagnes, l'insécurité règne ; les grands propriétaires fortifient leurs *villae.* Vers la fin du IIIe s., l'empereur Dioclétien rétablit la situation. Il renforce le *limes.* Un certain calme revient. En 313, l'empereur Constantin autorise le christianisme. Après avoir été combattue, cette religion triomphe dans les villes, où s'élèvent les premières églises. Elle gagne aussi les campagnes. Dans les années 350, Alamans et Francs envahissent à nouveau la Gaule, mais ils sont arrêtés par l'empereur Julien. À la mort de celui-ci, les luttes pour le pouvoir replongent l'Empire dans la crise. Rome ne peut plus empêcher les tribus germaniques de s'infiltrer en Gaule. Elle leur cède des territoires à condition qu'ils luttent contre d'autres peuples barbares menaçants. C'est ainsi que les Francs s'installent dans la Belgique actuelle. □

L'architecture romaine en Gaule

Les architectes de l'époque gallo-romaine ont laissé de nombreux vestiges à travers la Gaule, et notamment dans le Sud. Certains monuments ont traversé les siècles et sont très bien conservés, car ils ont été réutilisés au Moyen Âge, servant alors d'églises, de châteaux, parfois même d'entrepôts... Le temple de Caius et Lucius Caesar, à Nîmes (que l'on appelle la « Maison carrée », ci-dessous), a été construit à la fin du Ier s. avant J.-C., à l'époque de l'empereur Auguste. ▼

À la fin du Ve siècle, les Francs se rendent maîtres de la Gaule, qui devient leur royaume. Pendant plus de deux siècles, une même famille, celle des Mérovingiens, règne sur le pays. Mais, peu à peu, le pouvoir lui échappe.

Les Francs, Clovis et les

406 La Gaule est envahie par plusieurs peuples germaniques (Alains, Suèves, Vandales).
451 Attila et les Huns pénètrent en Gaule ; ils sont vaincus par Aetius, un général romain, et des armées germaniques.
481 Clovis, roi des Francs, succède à son père, Childéric. Il conquiert une grande partie de la Gaule.
Vers 500 Clovis se convertit au christianisme. Il est baptisé à Reims par l'évêque Remi.
511 Mort de Clovis.
534 Les Francs s'emparent du territoire des Burgondes.
536 Les Francs prennent la Provence.
629 à 639 Règne de Dagobert.
687 Pépin de Herstal, maire du palais d'Austrasie, gouverne aussi la Burgondie et la Neustrie.
732 (ou 733) Charles Martel, fils de Pépin de Herstal, arrête les armées musulmanes près de Poitiers.
741 Mort de Charles Martel. Ses fils lui succèdent.

En 406, la Gaule est ravagée par l'invasion de divers peuples germaniques (Alains, Suèves, Vandales). Elle subit une nouvelle épreuve en 451 : conduits par leur roi, Attila, les Huns traversent le Rhin, dévastent l'est du territoire puis se dirigent vers Paris. Mais la cité résiste. Finalement, les Huns s'éloignent et vont assiéger Orléans.
Le général romain Aetius, avec l'aide de renforts germaniques, et notamment des Francs, parvient à vaincre Attila, qui se retire au-delà du Rhin.

Clovis maître de la Gaule

Profitant de la faiblesse de l'Empire romain, les peuples germains étendent leurs possessions en Gaule. Vers la fin du Ve s., les Wisigoths au sud-ouest, les Alamans à l'est, les Burgondes au sud-est et les Francs au nord se partagent désormais l'essentiel du pays. Descendant de Mérovée, qui va donner son nom à la dynastie mérovingienne, Childéric règne sur l'un de ces royaumes francs. Il fixe sa capitale à Tournai, une ville située aujourd'hui en Belgique.
En 481, son jeune fils, Clovis, lui succède. Excellent guerrier, il conquiert au cours de plusieurs campagnes militaires une grande partie de la Gaule. Dans les dernières années du Ve s., conseillé par son épouse Clotilde, qui est chrétienne, il se convertit au christianisme. L'évêque de Reims, Remi, le baptise avec plusieurs milliers de ses guerriers. Désormais, le roi des Francs peut compter sur le soutien de l'Église, seule structure stable et bien organisée en ces temps particulièrement troublés.

Un royaume partagé

À la mort de Clovis, en 511, le royaume est partagé entre ses fils, comme le veut la coutume franque. Cette tradition n'est d'ailleurs pas sans inconvénient, car elle affaiblit le pays. Malgré tout, les Francs s'emparent encore du territoire des Burgondes (en 534) et de la Provence (en 536). Trois royaumes se mettent peu à peu en place : la Neustrie à l'ouest, l'Austrasie à l'est et la Burgondie au sud-est. Des régions comme l'Aquitaine deviennent indépendantes. Parfois même, le royaume des Francs retrouve son unité. Ainsi, entre 629 et 639, Dagobert règne seul, secondé par Éloi, évêque de Soissons. À sa mort, il est enterré dans l'abbaye de Saint-Denis, près de Paris, qu'il a fondée et où reposeront plus tard les corps de tous les rois de France.

Une nouvelle société

Sous les Francs, le royaume est la propriété du roi. Celui-ci en dispose comme il l'entend, donnant des terres à ceux qui le servent. Il gouverne, aidé par quelques officiers de sa cour, dont le maire du palais (une sorte de Premier ministre), qui devient un personnage très important.

◄ Statuette de Franc retrouvée au Mans.

ces personnages naïfs ornent un coffret précieux du VIIe s.

Mérovingiens

Le baptême de Clovis. Sur cette plaque d'ivoire sculpté (IXe s.), la reine Clotilde apparaît à gauche.

Pour administrer chaque territoire, ou comté, le roi nomme aussi un comte, qu'il paie. N'ayant plus une administration capable, comme au temps de Rome, de lever les impôts, le souverain dispose des ressources de ses grands domaines agricoles et des taxes sur la circulation des marchandises, les tonlieux. Cependant, l'insécurité est générale. Les voyageurs se font attaquer. Le commerce et les villes déclinent. À la merci d'une mauvaise récolte et victime de plusieurs épidémies, la population des campagnes diminue ; de nombreux villages disparaissent d'ailleurs à cette époque. La terre est pourtant la seule source de richesse. Les grands propriétaires, qui forment l'aristocratie, agrandissent alors leurs domaines. Beaucoup de paysans renoncent à leur liberté et préfèrent se mettre sous leur protection.
Le christianisme progresse partout. Dans les villages, les paroisses rassemblent les communautés de fidèles autour de l'église dirigée par le prêtre. Les monastères sont de plus en plus nombreux.

Le déclin des Mérovingiens

Après Dagobert, le royaume se retrouve divisé. Les rois qui se succèdent ont de moins en moins de pouvoir, car les maires du palais deviennent plus puissants qu'eux.
Les royaumes de Neustrie et d'Austrasie ne cessent de s'affronter dans des luttes sanglantes. En 687, Pépin de Herstal, maire du palais d'Austrasie, triomphe des armées rivales et il gouverne alors aussi la Neustrie. Sa disparition, en 714, déclenche des révoltes. Son fils, Charles, réprime celles-ci très durement, ce qui lui vaut le surnom de Martel (le Marteau). En 732 (ou 733), il arrête près de Poitiers les armées musulmanes venues d'Espagne. Lorsqu'il meurt, en 741, ses fils, Carloman et Pépin, deviennent à leur tour maires du palais.

Cavalier mérovingien. Il n'a ni selle ni étriers. ▼

Cavaliers musulmans ▲

À la mort du prophète Mahomet (632), fondateur de l'islam (voir *les Religions du monde*), les disciples de la nouvelle religion, les musulmans, propagent leur foi. Ils conquièrent très rapidement un immense empire. En 711, les musulmans passent du Maroc en Espagne. Dès 719, ils franchissent les Pyrénées. En 731, une nouvelle expédition remonte vers le nord de la France. Elle est arrêtée en 732 (ou 733) près de Poitiers par Charles Martel et les Francs, qui mettent ainsi fin à l'expansion musulmane.

En 751, la dynastie des Carolingiens règne sur le royaume des Francs. Son plus grand roi, Charlemagne, devient empereur en l'an 800. Mais ses successeurs se déchirent, et de nouveaux envahisseurs pillent le pays.

Les Carolingiens

751 Pépin le Bref devient roi des Francs (jusqu'en 768). C'est le premier Carolingien. Le nom de la dynastie vient du père de Pépin, Charles (*Carolus* en latin) Martel.
771 Charlemagne règne seul (jusqu'en 814).
778 Roland et l'arrière-garde de l'armée de Charlemagne sont attaqués à Roncevaux.
795 Charlemagne fixe sa capitale à Aix-la-Chapelle.
800 Charlemagne est couronné empereur d'Occident.
Début du IXe s. Premiers raids des Normands (Vikings).
814-840 Règne de Louis le Pieux.
842 Le serment de Strasbourg consacre l'alliance de Louis le Germanique et de Charles le Chauve.
843 Traité de Verdun : l'Empire carolingien est divisé en trois.
875-877 Charles le Chauve est empereur d'Occident.
888-898 Eudes, comte de Paris, est roi des Francs.
893-929 Règne de Charles le Simple.
911 Traité de Saint-Clair-sur-Epte : Charles le Simple donne la Normandie aux Normands.
937 Les Hongrois ravagent la Champagne et la Bourgogne.

À la mort de Charles Martel (741), des révoltes éclatent. Ses fils, Carloman et Pépin le Bref, rétablissent l'ordre. En 747, Carloman devient moine. Désormais seul maire du palais, Pépin, sûr de son autorité, écarte le dernier Mérovingien (Childéric III) en 751. Il est sacré roi par saint Boniface puis, une seconde fois, par le pape, le chef de l'Église, en 754. La cérémonie du sacre est très importante : elle signifie que le roi est le représentant de Dieu sur terre. Pépin poursuit l'œuvre de son père en chassant les musulmans d'Aquitaine. Quand il disparaît, en 768, il lègue à ses fils, Carloman et Charles (le futur Charlemagne), un royaume consolidé.

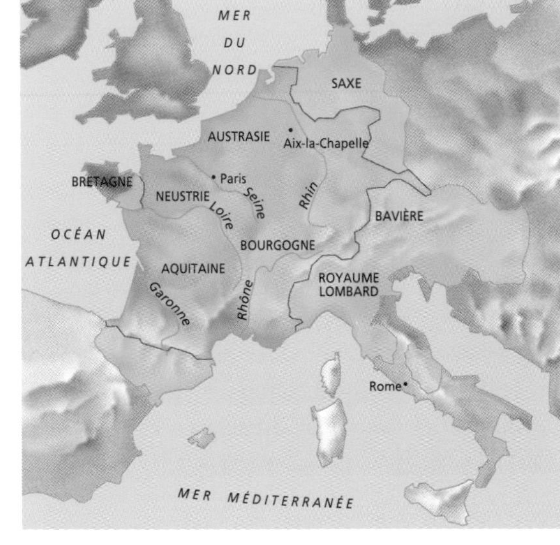

L'empire de Charlemagne
Le royaume des Francs vers 770
Les conquêtes de Charlemagne

◄ L'empereur Charlemagne.

Charlemagne, le grand empereur

Dès 771, après la mort de Carloman, Charles règne seul. Chaque année, pour étendre ses territoires, le roi lance des expéditions militaires vers l'est, le nord ou le sud. Il est souvent victorieux, mais il connaît aussi des défaites.

Ainsi, en 778, au retour d'une campagne en Espagne, l'arrière-garde de son armée, commandée par Roland, l'un de ses compagnons, est massacrée par les Basques dans le défilé de Roncevaux.

Charles ne se contente pas de conquérir de nouvelles terres. Allié du pape, il répand aussi le christianisme. Il contraint les peuples vaincus à se convertir.

Maître d'une grande partie de l'Europe de l'Ouest, défenseur de l'Église, il est couronné empereur d'Occident à Rome, le jour de Noël de l'an 800. Il devient Charlemagne (en latin, *Carolus Magnus*, « Charles le Grand »).

à l'époque carolingienne, les vêtements ressemblent encore beaucoup à ceux des Romains

Les « missi dominici »

Charlemagne se déplace souvent entre ses grands domaines. Mais, à partir de 795, il fixe sa capitale à Aix-la-Chapelle, une ville située dans l'Allemagne actuelle.
Pour gouverner, l'empereur s'entoure de conseillers, laïques et gens d'Église, et, pour administrer les comtés, il nomme des comtes qui font appliquer ses décisions et convoquent les hommes pour la guerre.
Charlemagne contrôle les comtés en envoyant régulièrement des inspecteurs, les *missi dominici* (les « envoyés du seigneur »), qui voyagent habituellement par deux : un religieux et un laïque.
L'ancienne Gaule profite du retour d'une certaine sécurité. La population augmente.
Le commerce reprend doucement. Il favorise l'essor de ports comme Quentovic, près d'Étaples, sur la Manche, et l'apparition de foires, telle celle de Saint-Denis, à côté de Paris.
Des villes se développent, comme Metz et Reims.
Toutes les richesses, cependant, viennent encore de la terre, de l'agriculture et de l'élevage.

La renaissance carolingienne

Depuis les invasions germaniques, la culture est délaissée. De nombreux prêtres ne comprennent même plus le latin (la langue de l'Église et des textes officiels). Charlemagne veut faire revivre l'enseignement. Il fonde à Aix-la-Chapelle une école du palais.
Il y fait venir des savants comme Alcuin, un religieux originaire d'York, en Grande-Bretagne. Il encourage aussi la création d'écoles dans les évêchés, les monastères et les paroisses.
Grâce à ces mesures, l'empereur contribue à une véritable renaissance des études. Dans les monastères, les moines recopient les textes anciens et mettent au point une nouvelle écriture, plus lisible, la « minuscule caroline ».
Ce renouveau touche aussi les arts.
L'orfèvrerie, le travail de l'ivoire et les enluminures (les peintures qui décorent les manuscrits) connaissent un véritable essor. De nombreuses églises sont construites. Cette renaissance artistique se poursuit avec les successeurs de Charlemagne. □

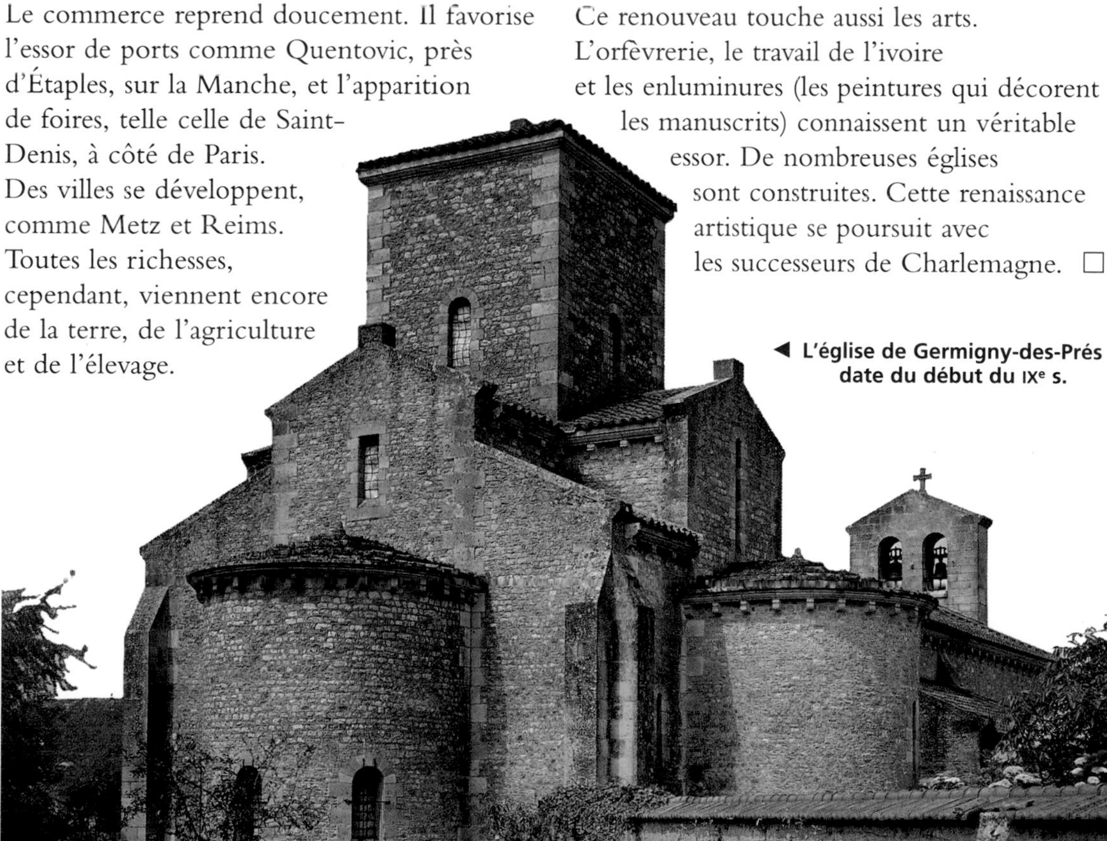

◄ L'église de Germigny-des-Prés date du début du IXᵉ s.

Guerrier carolingien ▲

**Pendant la plus grande partie de son règne, chaque année, au mois de mai, Charlemagne rassemble son armée pour partir en guerre.
La plus dure de toutes ses campagnes militaires est celle qu'il entreprend dès 772 contre les Saxons. Établis au nord du royaume franc, ces derniers opposent aux troupes carolingiennes une farouche résistance pendant une trentaine d'années. Même la reddition de leur chef, en 785, ne met pas fin aux combats. Charlemagne doit régulièrement conduire de nouvelles expéditions pour réprimer leurs révoltes. Au cours de l'une de celles-ci, il fait décapiter, dit-on, 4 500 Saxons. Il fait déporter les guerriers les plus rebelles pour parvenir à soumettre le peuple saxon et à le convertir à la religion chrétienne.**

les Normands sont des guerriers et des marins remarquables

Un empire divisé et de nouvelles invasions

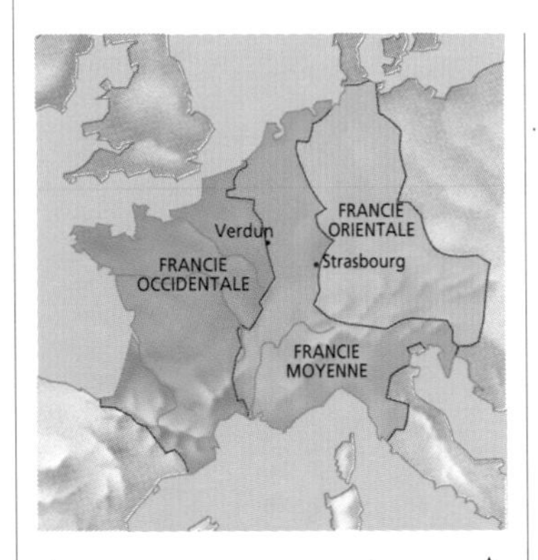

Le traité de Verdun ▲

Au traité de Verdun, en 843, l'Empire carolingien est partagé en trois royaumes. Lothaire conserve le titre d'empereur et règne sur la Francie moyenne, qui s'étire des Pays-Bas à l'Italie. Son domaine est pris entre la Francie orientale, à l'est, propriété de Louis le Germanique, et la Francie occidentale, à l'ouest, possession de Charles le Chauve. C'est la Francie occidentale qui deviendra au cours des siècles, et en s'agrandissant, le royaume de France. À la mort de Lothaire, la Francie moyenne est à son tour partagée entre ses fils. Lothaire II, notamment, reçoit un royaume qui va de la mer du Nord aux Vosges : la Lotharingie. On retrouve ce nom dans celui de l'actuelle Lorraine, qui ne sera rattachée à la France que sous le règne de Louis XV, en 1766.

Lorsque Charlemagne meurt, en 814, un seul de ses fils, Louis, vit encore et lui succède. Très croyant – on l'appelle Louis le Pieux –, il protège l'Église.

Le partage de l'Empire

Dès 817, Louis le Pieux partage l'Empire entre ses fils. Lothaire, l'aîné, en possédera la majeure partie. Pépin recevra l'Aquitaine, et Louis le Germanique, la Bavière. Mais Louis le Pieux se remarie et sa nouvelle femme lui donne en 823 un fils, Charles (le futur Charles le Chauve). Ce nouvel héritier ne plaît guère à ses demi-frères.

À la mort de Louis le Pieux, en 840, Lothaire se déclare maître de tout l'Empire et s'oppose à ses deux frères survivants, Louis le Germanique et Charles le Chauve (Pépin est mort en 838). Ceux-ci s'unissent et confirment leur alliance en prêtant serment à Strasbourg, en 842. Ces « serments de Strasbourg » sont les premiers textes connus rédigés en vieil allemand et en langue romane, l'ancêtre du français. L'année suivante, en 843, les deux frères battent Lothaire et lui imposent le traité de Verdun, qui consacre la division de l'ancien empire de Charlemagne en trois royaumes.

Des guerriers carolingiens attaquant une ville (Xe s.) ▼

les premiers châteaux forts sont de simples tours en bois

Cette miniature illustre bien les malheurs des IXe et Xe s.

De nouveaux envahisseurs

Les « hommes du Nord », les Normands, connus aussi sous le nom de Vikings, profitent de toutes ces luttes. Venus de Norvège, de Suède ou du Danemark, ils multiplient les raids et les pillages dès le début du IXe s.
L'ouest de la France connaît alors une insécurité qui rappelle celle du temps des grandes invasions. Au printemps, les Normands surgissent à bord de leurs vaisseaux rapides, les drakkars. Ils pillent les côtes de la Manche et de l'Atlantique puis, en remontant les fleuves, attaquent les villes et les monastères de l'intérieur du pays. En 861, Charles le Chauve confie la défense des pays situés entre la Seine et la Loire à Robert le Fort, comte d'Anjou. Celui-ci affronte avec courage les Normands et meurt en les combattant, en 866.
Le Sud subit aussi des invasions.
Les sarrasins, musulmans installés en Espagne, en Afrique du Nord ou en Sicile, attaquent les côtes méditerranéennes.

Carolingiens et Robertiens

Couronné empereur d'Occident en 875, Charles le Chauve meurt deux ans plus tard. Son fils, Louis II le Bègue, lui succède. Son royaume est affaibli, envahi, privé de la Bretagne redevenue indépendante. En outre, son père a distribué de nombreux domaines, et les comtes se transmettent désormais leur charge de père en fils.
Des familles comme celle des Robertiens, les descendants de Robert le Fort, sont très puissantes. Elles s'entourent de petits seigneurs. Ceux-ci construisent les premiers châteaux forts, de simples tours en bois protégées par une palissade et un fossé, et contrôlent ainsi de petits territoires.
Vers la fin du IXe s., des seigneurs organisent ici et là la résistance contre les Vikings. Ainsi, le fils de Robert le Fort, Eudes, comte de Paris, défend avec succès sa ville contre les Normands en 885-886. Il est élu roi en 888. Avec lui, les Robertiens accèdent au trône pour la première fois. En 898, un Carolingien, Charles le Simple, règne de nouveau. C'est lui qui, en 911, met fin aux raids vikings. Par le traité de Saint-Clair-sur-Epte, il accorde au chef normand Rollon la propriété des terres que ce dernier occupe. Rollon devient alors duc du pays des Normands, la Normandie.
Mais la première moitié du Xe s. est encore marquée par les raids musulmans. En 937, les Hongrois, d'autres pillards venus de l'est, dévastent la Bourgogne, la Champagne et les vallées de la Saône et du Rhône.
Que de troubles pour ces populations sans défense ! Le danger est partout présent. Les récoltes sont maigres dans des campagnes sans cesse menacées de pillages. Beaucoup de gens ont alors le sentiment de vivre des temps très durs, comme si l'apocalypse, la fin du monde, allait avoir lieu. □

Casque viking

Ce casque en bronze a été retrouvé en Suède, à Vendel. Il appartenait à un guerrier viking. ▼

Calice en or

En quête de butin, Vikings, sarrasins ou Hongrois s'attaquent aux églises et aux monastères. Ceux-ci conservent dans leurs murs des trésors : il s'agit notamment de vases en or ou en argent, parfois enrichis de pierres précieuses, qui servent à la célébration de la messe. Le calice de saint Gauzlin (ci-dessous) date du Xe s. ▼

le temps des

chevaliers

Les premiers rois capétiens ont du mal à imposer leur autorité face aux seigneurs, petits ou grands. Dans la société féodale qui s'est peu à peu mise en place, chacun remplit un rôle précis : travailler, combattre ou prier.

Les premiers Capétiens

987 Hugues Capet devient roi. Début de la dynastie capétienne.
996-1031 Règne de Robert II le Pieux.
1031-1060 Règne d'Henri Ier.
1054 Henri Ier est vaincu lors d'une bataille contre Guillaume, duc de Normandie.
1060-1108 Règne de Philippe Ier.
1066 Guillaume, duc de Normandie, conquiert l'Angleterre (bataille de Hastings).
1095-1099 Première croisade. Les croisés s'emparent de Jérusalem.
1108-1137 Règne de Louis VI. Son principal conseiller, Suger, est abbé de Saint-Denis.
1124 Avec ses vassaux, Louis VI repousse une invasion de l'empereur germanique Henri V.
1137- 1180 Règne de Louis VII.
1147-1149 Deuxième croisade.
1152 Louis VII et sa femme, Aliénor d'Aquitaine, se séparent. Aliénor se remarie avec Henri Plantagenêt.
1154 Henri Plantagenêt devient roi d'Angleterre.

En 987, à la mort de Louis V, le dernier Carolingien, c'est un Robertien (voir p. 17), Hugues Capet, qui lui succède. Élu par les grands seigneurs et les évêques, il est le premier souverain d'une nouvelle dynastie, celle des Capétiens.

Un roi capétien du XIe s.

La société féodale

Au cours des invasions des IXe et Xe s., l'autorité royale n'a cessé de s'affaiblir. Le pouvoir est aux mains de celui qui sait se battre et qui est assez riche pour s'armer, fortifier sa demeure et entretenir quelques guerriers. Les plus faibles viennent donc chercher protection auprès de lui.
En échange, le seigneur exige du paysan qu'il travaille pour lui, et du guerrier qu'il lui jure fidélité ; ce dernier devient alors son vassal. En échange de son aide armée, le seigneur, ou suzerain, doit assurer l'entretien de son vassal et de sa famille. Il lui offre habituellement les revenus d'une de ses terres : le fief (*feodus*, en latin, qui a donné « féodal » et « féodalité »). Ainsi se constitue une société dans laquelle chaque homme est lié à un autre : le vassal à son suzerain, lui-même étant vassal d'un seigneur plus puissant que lui. Au sommet se trouve le suzerain suprême : le roi, vassal de personne.

Des rois faibles

En fait, s'il est le suzerain suprême, le roi dépend aussi de ceux qui l'ont élu.
Pour conserver la couronne dans sa famille, Hugues Capet, de son vivant, fait reconnaître et sacrer roi son fils aîné, Robert II le Pieux (996-1031). Ses successeurs font de même, mais leur autorité demeure très limitée : elle ne s'exerce pas au-delà du domaine royal, c'est-à-dire des terres qu'ils possèdent personnellement, entre Senlis, au nord de Paris, et Orléans, sur la Loire. Leurs vassaux sont souvent dangereux. Ainsi, en 1054, le roi Henri Ier (1031-1060) est vaincu par le duc de Normandie, Guillaume. Ce dernier représente bientôt une sérieuse menace pour le fils d'Henri Ier, Philippe Ier (1060-1108). En 1066, en effet, Guillaume débarque en Angleterre avec ses troupes et remporte la bataille de Hastings. Il devient alors roi de ce pays. Pour Philippe Ier, c'est un vassal devenu bien puissant.
Si leur autorité reste faible, les rois capétiens ont cependant une grande supériorité sur tous les autres seigneurs : ils sont sacrés. Le sacre fait d'eux les représentants de Dieu, ce qui compte beaucoup dans une société profondément chrétienne.

La première croisade

Sous le règne de Philippe Ier a lieu un événement très important pour la chrétienté. En 1095, le pape Urbain II lance depuis la ville de Clermont (aujourd'hui Clermont-Ferrand) un appel aux chrétiens.

le couronnement d'un roi de France

Louis VII offre une église à des moines.

Il leur demande d'aller délivrer Jérusalem, la ville sainte où le Christ est mort sur la croix, et dont les Turcs interdisent l'accès aux pèlerins qui veulent y prier. Bientôt, des milliers de gens simples, qui ne sont pas des guerriers, se mettent en marche vers la Palestine, au Proche-Orient. Ils cousent sur leurs vêtements une croix, d'où leur nom de croisés. Mais ils se font massacrer. La croisade des chevaliers, sous la conduite de puissants seigneurs comme Godefroy de Bouillon ou Hugues de Vermandois, frère de Philippe Ier, est mieux organisée. En 1099, ces guerriers s'emparent de Jérusalem. Cette première croisade est un succès.

Les Capétiens s'affirment

Louis VI, fils de Philippe Ier, règne de 1108 à 1137. Assisté par l'abbé de Saint-Denis, Suger, il commence à organiser le domaine royal. En 1124, il obtient l'aide de ses vassaux pour repousser une invasion du royaume par l'empereur germanique Henri V. Surtout, le roi réussit à augmenter l'influence capétienne en mariant son fils, le futur Louis VII (1137-1180), à la jeune Aliénor d'Aquitaine, héritière d'un duché qui couvre le sud-ouest de la France.

Louis VII poursuit la politique de son père. Il s'appuie sur l'Église et étend son pouvoir sur la Bourgogne, l'Auvergne, le Languedoc. Jérusalem étant à nouveau menacée, il participe à la deuxième croisade en 1147, qui se solde, en 1149, par un échec. En 1152, le roi fait annuler son mariage avec Aliénor et lui rend le duché d'Aquitaine. Celle-ci épouse alors Henri Plantagenêt, comte d'Anjou et duc de Normandie. Ce dernier hérite en 1154 de la couronne d'Angleterre. Louis VII se retrouve ainsi en face d'un vassal qui possède presque la moitié du royaume de France. Cette situation va créer de nombreux conflits entre les Plantagenêts et les Capétiens tout au long du XIIIe s. □

Le monogramme d'Hugues Capet

Le monogramme du roi est comme une signature. Hugues Capet n'a pas écrit lui-même le sien. Il a juste tracé la barre brisée (en V) au centre du losange.

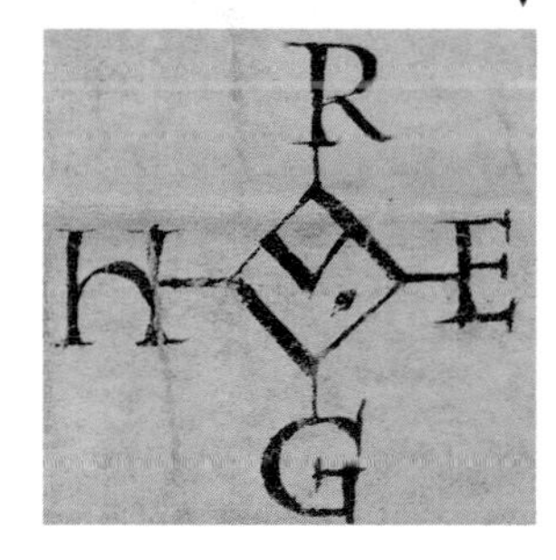

La dame

Au Moyen Âge, la femme du seigneur, la dame, joue un rôle important. Lorsque son mari est au loin, elle dirige le domaine. Certaines reines, comme Aliénor d'Aquitaine (ci-dessous, son tombeau) ou Blanche de Castille (la mère de Saint Louis), ont disposé de grands pouvoirs.

paysans, chevaliers et prêtres arrivent à la porte du paradis

Travailler, combattre et prier

L'art des bâtisseurs ▼

L'art roman s'épanouit au XIe s. et dans la première moitié du XIIe s. Les fragiles charpentes en bois des églises sont remplacées par des voûtes en pierre. Leur poids, considérable, oblige les architectes à renforcer les murs, déjà très épais, par des contreforts à l'extérieur et des colonnes à l'intérieur. Dans les monastères, l'art roman exprime le dépouillement voulu par les moines. Les cloîtres (galeries couvertes entourant un jardin), par exemple, en offrent de beaux exemples. Mais l'art des bâtisseurs et des tailleurs de pierre se retrouve aussi dans l'architecture militaire, et notamment dans les donjons, ces hautes tours dans lesquelles on se réfugie lorsque le château fort est attaqué. Certains donjons étaient très hauts, comme celui de Coucy, énorme tour qui mesurait plus de 50 m.

La société féodale s'épanouit aux XIe et XIIe s., au temps des premiers Capétiens. Elle se divise en trois groupes qui rassemblent les hommes suivant leur fonction : en bas, il y a ceux qui travaillent, puis viennent ceux qui combattent, et enfin, au sommet, ceux qui prient.

Ceux qui travaillent

Dans la société féodale, ceux qui travaillent sont avant tout les paysans. Ils représentent l'immense majorité de la population.

Certains sont libres (les vilains ; du latin *villanus,* celui qui habite la campagne), d'autres sont des serfs (du latin *servus,* esclave) ; ils n'ont pas le droit de quitter la terre qu'ils cultivent et sont vendus avec elle. Libre ou non, le paysan mène une vie rude. Il exploite les champs que le seigneur lui a confiés.
En échange, il lui doit plusieurs jours de travail gratuit (les corvées) et des redevances en nature (blé, volailles, etc.).
L'outillage est sommaire, le plus souvent en bois, car le fer est rare et cher. Mais les choses commencent à changer. À côté du moulin à eau, déjà connu, le moulin à vent se répand. De même, des charrues qui retournent profondément la terre apparaissent au nord de la Loire. Les paysans cultivent surtout des céréales, mais aussi des pois et des fèves. Ils élèvent des porcs, une ou deux vaches, quelques moutons et des volailles. La forêt offre des glands pour les porcs, des baies, des champignons et du bois pour le chauffage.

Les grappes de raisin remplissent la hotte du vendangeur. ▲

À partir du XIe s., le paysan qui souhaite agrandir sa terre abat peu à peu les forêts pour en exploiter le sol. Au siècle suivant, ces défrichements deviennent très importants. Les terres cultivées s'étendent de plus en plus. Ainsi, les famines sont moins fréquentes, et la population augmente.

Ceux qui combattent

La chevalerie rassemble les hommes qui combattent, c'est-à-dire les seigneurs.
On devient chevalier généralement vers l'âge de 18 ans. Les jeunes hommes reçoivent alors leurs armes, et la guerre devient leur principale activité. Mais ils doivent aussi respecter un code d'honneur : protection des faibles, des femmes, respect de l'Église et de ses biens... Le chevalier combat sur ses terres pour les défendre. Au nom de sa religion, mais aussi par goût de l'aventure et soif de butin, il part en croisade (voir p. 20 et 25). Lorsqu'il n'est pas à la guerre, le seigneur administre son domaine. Il chasse et organise des tournois, des rencontres souvent violentes où chacun montre son adresse à manier

le cloître de l'abbaye de Fontenay-le-Comte date du XIIe s.

l'épée ou la lance. Le seigneur vit dans son château. D'abord simple tour en bois, le donjon est construit en pierre dès la fin du XIe s. D'autres bâtiments s'y ajoutent et le château s'entoure de murailles épaisses et de fossés.

Ceux qui prient

L'Église joue un rôle très important dans la société féodale, qui est profondément chrétienne. Prêtres et évêques assurent le service religieux auprès des fidèles. Les moines, eux, vivent en communauté dans des monastères. Ils obéissent à la règle que saint Benoît a fixée au VIe s. : ils doivent partager leur temps entre le travail – c'est-à-dire l'étude et la copie de manuscrits anciens – et la prière. Le monastère remplit aussi les fonctions d'école pour les fils de seigneurs et d'auberge pour les pèlerins. Ceux-ci se rendent en grand nombre à Saint-Jacques-de-Compostelle (Espagne), à Rome ou à Jérusalem. Mais bien d'autres lieux attirent les foules des croyants, comme le tombeau de saint Martin, à Tours.
Le monastère, avec ses paysans et ses vassaux, est aussi un grand domaine, souvent riche. L'une des grandes préoccupations des gens d'Église est de lutter contre la violence. Ainsi, le clergé tente d'imposer aux chevaliers la « trêve de Dieu », qui interdit tout combat du mercredi soir au lundi matin. De même, en enrôlant les seigneurs dans les croisades, l'Église les pousse à aller guerroyer loin du royaume. Elle voit d'ailleurs se créer deux nouveaux ordres originaux : celui des hospitaliers et celui des templiers, qui sont à la fois des moines et des soldats. □

Des chevaliers chrétiens attaquent une ville fortifiée en Palestine. ▼

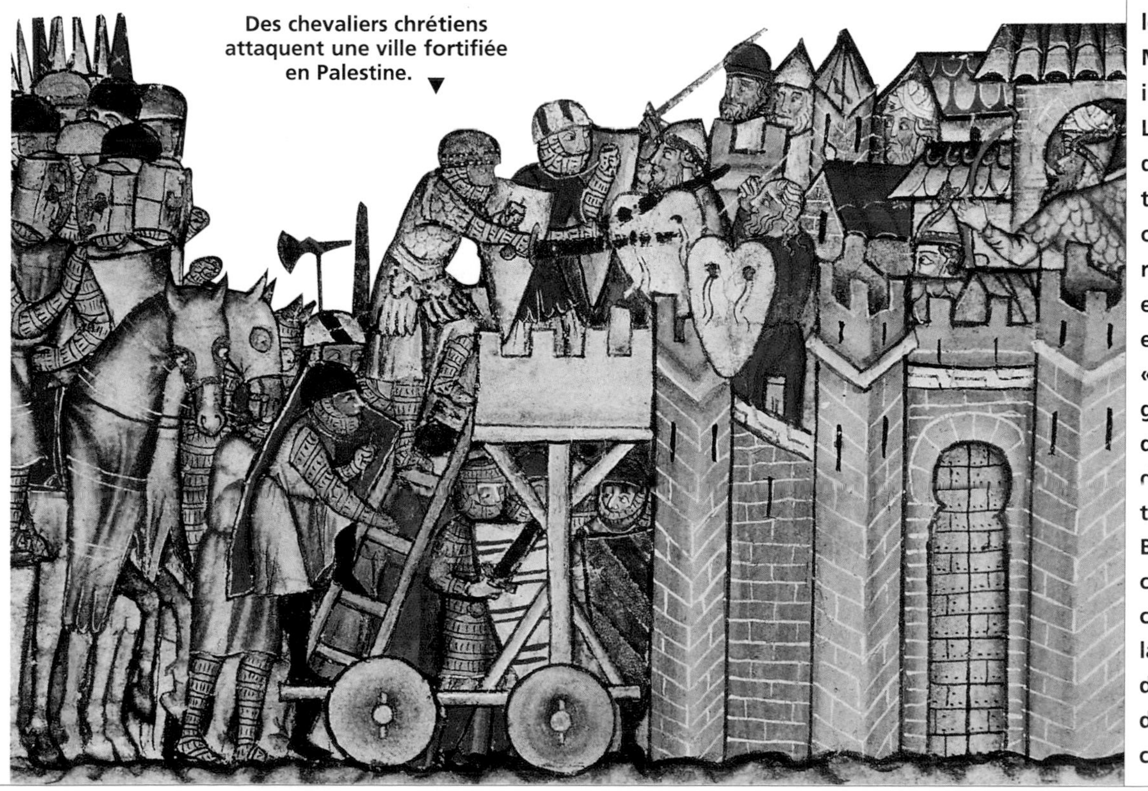

Poètes et musiciens

Troubadours au sud, trouvères au nord sont des poètes et des musiciens. ▼

Ils voyagent de château en château où, lors des fêtes, ils chantent l'amour, la beauté de la dame de leur pensée, la nature. Grâce à ces artistes, les nouvelles circulent. Mais, dans leurs œuvres, ils embellissent la réalité. Les chevaliers deviennent de merveilleux héros, tels Roland à Roncevaux ou les chevaliers de la Table ronde. Troubadours et trouvères n'écrivent pas en latin, mais en langue « vulgaire », la langue que les gens parlent vraiment : langue d'oc dans le Sud, langue d'oïl dans le Nord. Certains sont très célèbres. La comtesse Béatrice de Die, par exemple, chante les exploits des chevaliers mais dénonce la violence. Bernard de Ventadour, lui, écrit des chansons d'amour qui connaissent un grand succès.

Cavaliers musulmans et croisés

Après la prise de Jérusalem, en 1099, les chrétiens s'établissent au Proche-Orient. Dès la fin du XIIe s., ils gagnent cette région en bateau (ci-dessus) plutôt que par voie de terre. Pendant près de deux siècles, chevaliers chrétiens et cavaliers musulmans s'affrontent. Les combattants musulmans (à droite, sur cette miniature) disposent d'un équipement léger, bien adapté au climat chaud de la région. Vêtus d'une courte tunique, coiffés d'un turban, ils ont les jambes et les pieds nus. Les croisés, à gauche, sont très lourdement armés, avec un heaume (casque) qui leur emprisonne la tête, et une cotte de mailles en métal, qui les recouvre complètement.

Au XIIIe s., de grands rois capétiens se succèdent sur le trône. Ils agrandissent leur royaume tout en affirmant de plus en plus leur autorité. La France est alors le plus riche pays d'Europe et ses villes se développent.

La France du XIIIe s.

1180-1223 Règne de Philippe II Auguste.
1202-1206 Philippe Auguste occupe la Normandie, le Maine et l'Anjou.
1208 Le pape appelle à la croisade contre les albigeois.
1214 Victoire de Bouvines.
1223-1226 Règne de Louis VIII le Lion.
1226-1270 Règne de Louis IX (Saint Louis).
1248 Louis IX part pour la septième croisade.
1250 Louis IX est fait prisonnier en Égypte ; il passe quatre ans au Proche-Orient.
1257 Fondation de la Sorbonne, à Paris.
1270 Louis IX part pour la huitième et dernière croisade ; il meurt en Tunisie.
1270-1285 Règne de Philippe III le Hardi.
1285-1314 Règne de Philippe IV le Bel.
1294 Début du conflit entre Philippe IV et le pape Boniface VIII (jusqu'en 1305).
1297 Louis IX est canonisé : il devient Saint Louis.
1307 Philippe IV s'attaque à l'ordre des Templiers dont il convoite les richesses.
1309 Le pape Clément V, d'origine française, s'installe en Avignon.

Entre 1180 et 1314, trois rois à la forte personnalité règnent sur la France : Philippe II Auguste, Louis IX (Saint Louis) et Philippe IV le Bel. Parmi eux, Louis IX acquiert une si grande réputation d'honnêteté que même des princes étrangers viennent lui demander son avis et s'en remettent à son jugement.

◄ Statue en terre cuite de Saint Louis.

Philippe Auguste, un conquérant

Philippe II Auguste (1180-1223) consacre une grande partie de son règne à lutter contre les Plantagenêts, rois d'Angleterre mais, surtout, maîtres de vastes provinces en France, dont la Normandie et l'Aquitaine. Il se bat d'abord contre Henri II, puis contre Richard Cœur de Lion et, enfin, contre Jean sans Terre. Entre 1202 et 1206, il occupe la Normandie, le Maine et l'Anjou.
Jean sans Terre réagit en s'alliant à l'empereur germanique Otton IV et au comte de Flandre. Mais le roi de France écrase les troupes ennemies à Bouvines, près de Lille, en 1214.
Ces succès permettent à Philippe Auguste de renforcer son autorité. Sous son règne, la royauté devient héréditaire : les rois ne sont plus élus, c'est leur fils aîné qui leur succède. Et l'on parle désormais non plus du royaume des Francs mais du royaume de France.
Philippe Auguste embellit Paris, sa capitale, qui compte environ 100 000 habitants.
Pour améliorer l'administration du royaume, il nomme des baillis (au nord de la Loire) et des sénéchaux (au sud de la Loire) qui rendent la justice, assurent la sécurité et lèvent les impôts.

La croisade contre les albigeois

Au XIIe s., dans le sud-ouest de la France, en particulier dans la région d'Albi, des chrétiens – que l'on appelle cathares ou albigeois – n'obéissent plus au pape. Ils pratiquent une religion qui s'éloigne du catholicisme. Pour l'Église, ces gens sont donc des hérétiques. Le comte de Toulouse laisse en paix les cathares. Mais, en 1208, le pape Innocent III appelle à la croisade contre les albigeois. Les seigneurs du Nord, dirigés par Simon de Montfort, en profitent pour s'emparer du Languedoc. En 1218,

Saint Louis donnant à manger aux pauvres

un soulèvement remet en cause cette conquête. Le fils de Philippe Auguste, Louis VIII le Lion, couronné en 1223, intervient à son tour. Il soumet le Languedoc en 1226. Il meurt lors de son retour vers Paris, après avoir confié à son épouse, Blanche de Castille, le gouvernement du pays jusqu'à la majorité de leur fils, Louis IX.

▲ Main de justice des rois de France.

Saint Louis

Louis IX ne prendra vraiment en main les affaires du royaume que vers 1240, mais sa mère continuera à jouer un rôle important jusqu'à sa mort, en 1252.
Ce roi, profondément croyant, charitable envers les pauvres, est très populaire. Recherchant la paix, il négocie avec ses adversaires, interdit les guerres privées entre seigneurs. Il attache une grande importance à la justice.
En revanche, roi très chrétien, Louis IX ne supporte pas l'hérésie. Sous son règne, les albigeois sont impitoyablement écrasés. En 1248, le roi veut aller délivrer Jérusalem, que les musulmans ont reprise en 1244 ; il dirige la septième croisade. Vaincu, fait prisonnier en 1250, relâché, il passe quatre ans au Proche-Orient pour libérer des chrétiens prisonniers des musulmans. En 1270, il repart en croisade. Mais il meurt à peine débarqué en Tunisie. En 1297, Louis IX est canonisé (admis parmi les saints) par l'Église catholique. Il devient Saint Louis, le modèle du roi chrétien.

Philippe le Bel, un homme d'État

Dernier grand roi du XIIIe s., Philippe IV le Bel, fils de Philippe III le Hardi, règne à partir de 1285. Homme de pouvoir, il perfectionne l'administration royale et s'appuie sur des hommes qui connaissent bien le droit, les légistes. Il ajoute à ses possessions la Champagne, Lyon et une partie de la Flandre. Dès 1294, il entre en conflit avec le pape Boniface VIII, car il refuse que celui-ci intervienne dans les affaires intérieures de la France. La crise ne s'achève qu'en 1305, avec l'élection d'un pape français, Clément V, qui s'installe en Avignon en 1309.
La politique de Philippe le Bel coûte cher et le roi a sans cesse besoin d'argent. Il crée des impôts régulièrement prélevés.
Il s'empare aussi des richesses des Templiers, ces moines-soldats.
Philippe le Bel meurt en 1314. Ses trois fils – Louis X, Philippe V et Charles IV – se succèdent jusqu'en 1328. Aucun d'eux n'a d'héritier mâle. Sous leur règne, des révoltes féodales éclatent et le pouvoir royal s'affaiblit. □

Les rigueurs de la justice ▲

Malgré quelques progrès (recherche de preuves, enquête...), la justice demeure très dure au XIIIe s. Les aveux sont souvent obtenus sous la torture et les châtiments sont cruels. Les coupables de petites fautes peuvent être exposés au pilori (ci-dessus). Ceux qui ont insulté Dieu ou l'Église ont la langue tranchée. Les voleurs sont exécutés.

Philippe le Bel et sa famille. ►

des étudiants viennent prier devant la Vierge

L'essor des villes

Une boutique d'apothicaire

L'apothicaire est l'ancêtre du pharmacien. Il confectionne lui-même les médicaments, utilisant surtout des plantes et des matières animales ou minérales.

Chez les drapiers

Les draps de laine font l'objet d'un commerce international. Le principal centre de production se trouve en Flandre et la laine vient d'Angleterre. Il faut environ un mois pour fabriquer une grande pièce de drap comme celle que l'on voit sur ce document dans les mains des teinturiers.

Au XIIIe s., les campagnes donnent de bonnes récoltes. Le commerce redevient très actif. Les richesses affluent vers les villes, qui voient se dresser les grandes cathédrales gothiques et naître les premières universités.

Les routes du commerce

Au XIIe et surtout au XIIIe s., le commerce connaît un grand essor. Il le doit notamment aux croisades, qui mettent directement en relation l'Asie et l'Europe.
Des commerçants entreprenants, principalement des Italiens – Vénitiens et Génois –, tirent profit de cette situation. Ils achètent des produits venant d'Inde ou de Chine et très demandés en Occident (épices, soieries, sucre...), et vendent en échange des marchandises européennes appréciées au Proche-Orient, notamment des armes et des draps de laine. L'industrie textile se développe, surtout en Flandre, où elle était déjà bien implantée.

Sculptures de la cathédrale Notre-Dame de Paris.

Pour vendre et acheter, les marchands sillonnent les routes de France.
C'est en Champagne qu'Italiens et Flamands ont pris l'habitude de se rencontrer, dans les foires de Provins, de Lagny, de Troyes et de Bar-sur-Aube.
Pour leurs échanges, les commerçants ont besoin d'argent. Les pièces de monnaie, qui étaient devenues rares, se multiplient. Elles se répandent même dans les campagnes, où les agriculteurs, grâce aux grands défrichements et aux progrès techniques, produisent plus et mieux. Les paysans vont à la ville, lieu de tous les échanges, pour vendre le surplus de leurs récoltes et acheter certains outils ou vêtements qu'ils ne fabriquent plus.
Toute cette effervescence s'accompagne d'un grand renouveau artistique, né en Île-de-France au milieu du XIIe s. : l'art gothique. Chaque ville un peu importante veut sa cathédrale, aux riches sculptures et aux grandes verrières constituées de vitraux colorés.

Des villes libres

Implantés dans les villes, les commerçants et les artisans forment peu à peu un nouveau groupe social, celui des bourgeois (les habitants du « bourg », de la ville). Pour développer encore plus leurs affaires, les marchands s'associent souvent entre eux et fondent des compagnies de commerce. Les artisans se regroupent aussi, selon leur profession, en métiers, ou corporations. La ville constitue ainsi un monde très divers, où le banquier fortuné côtoie l'ouvrier drapier. Riches ou pauvres, ces hommes s'opposent au système féodal. Face à leur seigneur, qu'il soit comte

des étudiants portent secours à de pauvres gens

Une ville derrière ses remparts.

ou évêque, les bourgeois réclament leur liberté et celle de leur cité. Et, lorsqu'ils ne l'obtiennent pas, ils se révoltent, donnant à leur union le nom de « commune ». D'abord opposés à ces révoltes, qui sèment le trouble dans le royaume, les rois, et tout particulièrement Philippe Auguste, favorisent la création des communes. Au XIIIe s., à l'exception de Paris, qui reste sous l'autorité d'un officier royal, les villes ont gagné leur indépendance. Centres économiques et industriels, elles sont également devenues d'importants centres culturels.

Le temps des universités

Pendant des siècles, l'enseignement a été donné dans les monastères. Il se développe maintenant dans les villes, dans les « écoles cathédrales », situées près des cathédrales (les églises où siègent les évêques). Mais ces écoles se révèlent bientôt trop petites, et professeurs et étudiants ne veulent plus dépendre de l'autorité de l'évêque. Ils se réunissent en associations, qu'ils baptisent « universités ». Celles-ci se multiplient et s'organisent, regroupant chacune quatre facultés : des Arts (bientôt appelée des Lettres), de Droit, de Médecine et de Théologie (études concernant la religion). Les étudiants peuvent obtenir trois diplômes successifs : baccalauréat, licence et doctorat. Ils habitent chez leur maître, jusqu'à ce que l'on construise des collèges – telle la Sorbonne, fondée à Paris en 1257 par Robert de Sorbon –, où ils sont logés et où ils reçoivent leur enseignement.
Au début du XIVe s., cependant, des temps plus difficiles s'annoncent. Le climat connaît un léger refroidissement et les récoltes sont mauvaises. La famine réapparaît dans les campagnes. Le commerce est moins actif. □

Les foires

Grands marchés où se rencontrent vendeurs et acheteurs, les foires attirent aussi les changeurs (ils changent les différentes monnaies), ancêtres des banquiers. Certaines foires, comme celles de Champagne, sont internationales. D'autres sont plus régionales. Ainsi, celle du lendit (ci-dessous), entre Paris et Saint-Denis, devient un lieu d'échange privilégié pour le nord du royaume de France. Cette foire a lieu au mois de juin. ▼

De 1337 à 1453, un long conflit oppose la France à l'Angleterre : on l'appelle la guerre de Cent Ans. À partir de 1430, après l'aventure de Jeanne d'Arc, le redressement de la France est assuré par Charles VII et Louis XI.

La guerre de Cent Ans

1314-1328 Règnes successifs des trois fils de Philippe Le Bel (Louis X, Philippe V, Charles IV).
1328-1350 Règne de Philippe VI de Valois.
1337 Début de la guerre de Cent Ans.
1340 Les Anglais détruisent la flotte française à l'Écluse.
1346 Défaite des Français à Crécy.
1347-1353 L'épidémie de Peste noire ravage l'Occident.
1350-1364 Règne de Jean II le Bon.
1356 Défaite des Français à Poitiers.
1364-1380 Règne de Charles V. Avec Bertrand du Guesclin, la situation du royaume se rétablit.
1380-1422 Règne de Charles VI.
1415 Défaite des Français à Azincourt.
1420 Le traité de Troyes donne la couronne de France au roi d'Angleterre.
1429 Jeanne d'Arc libère Orléans assiégée par les Anglais.
1429 Charles VII est sacré à Reims. Il règne jusqu'en 1461.
1431 Procès et mort de Jeanne d'Arc à Rouen.
1453 Fin de la guerre de Cent Ans.
1461-1483 Règne de Louis XI.
1470 La première imprimerie est installée en France, à Paris.
1476 Défaites de Charles le Téméraire, duc de Bourgogne, à Granson et à Morat.

Des soldats pillent une ville et la campagne voisine pendant la guerre de Cent Ans.

Le dernier fils de Philippe le Bel, Charles IV, meurt en 1328 sans héritier ; avec lui s'achève la lignée des Capétiens « directs » (les rois qui descendent de père en fils d'Hugues Capet). La couronne passe alors à un neveu de Philippe le Bel, Philippe de Valois. Mais, en 1337, le roi d'Angleterre Édouard III, petit-fils de Philippe le Bel par sa mère, Isabelle de France, déclare qu'il est l'héritier du royaume de France.

La déroute des armées françaises

En 1340, le roi d'Angleterre envoie une flotte, qui détruit les navires français rassemblés dans la baie de l'Écluse, près de Bruges. Maître sur la mer, Édouard III débarque en Normandie en 1346. La même année, à Crécy, l'armée anglaise, plus mobile et plus efficace grâce à ses archers, met en déroute la lourde chevalerie française. En 1355, le fils d'Édouard III, le Prince Noir, reprend les opérations militaires. À Poitiers, en 1356, il écrase l'armée française. Le roi Jean II le Bon, fils de Philippe de Valois, est fait prisonnier. La seule satisfaction de cette période est l'acquisition par la France, en 1349, du Dauphiné : désormais, le fils aîné des rois de France portera le titre de « Dauphin ».

De Charles le Sage à Charles le Fou

En 1360, le roi est libéré. La paix de Brétigny donne à l'Angleterre le sud-ouest de la France. Lorsque son fils, Charles V, devient roi à son tour, en 1364, le pays est dans un état désastreux. L'épidémie de la Peste noire a tué plus d'un tiers de la population. Des soldats, anglais et français, se sont

Jeanne d'Arc sur le bûcher, à Rouen, le 30 mai 1431

organisés en bandes, les Grandes Compagnies, qui pillent villes et campagnes. En Champagne et en Picardie, les paysans, que l'on appelle les « jacques », se soulèvent contre les seigneurs qui les défendent si mal ; leur insurrection prend le nom de Jacquerie. Pour redresser la situation, Charles V s'appuie notamment sur un connétable (chef de l'armée) de grand talent : Bertrand du Guesclin, un noble breton. Celui-ci évite les grandes batailles. Il harcèle les Anglais et regagne peu à peu le terrain perdu ; il met fin aux activités des Grandes Compagnies. À la mort de Charles V, en 1380, le nouveau roi, Charles VI, hérite d'un royaume redevenu puissant. Mais, en 1392, il devient fou. Deux clans rivaux, les Armagnacs et les Bourguignons, menés par les oncles du roi, se disputent le pouvoir et se livrent à d'horribles massacres. Profitant de ces désordres, le roi d'Angleterre Henri V reprend l'offensive. En 1415, à Azincourt, la chevalerie française est une nouvelle fois écrasée par les Anglais.

Jeanne d'Arc

Les conséquences de cette défaite sont dramatiques. Au traité de Troyes, en 1420, Charles VI, le roi fou, déshérite son propre fils, le futur Charles VII. Il reconnaît le roi d'Angleterre comme héritier de la couronne de France. À la mort de Charles VI, en 1422, la France a donc deux souverains : l'Anglais Henri VI, un bébé de 9 mois, qui vit à Paris, et le Français Charles VII, que ses ennemis appellent ironiquement le « petit roi de Bourges », car il réside généralement dans cette ville. Tout semble perdu pour Charles VII… Jusqu'à ce qu'une jeune paysanne de 17 ans, Jeanne d'Arc, originaire du village de Domrémy, en Lorraine, renverse le cours de l'histoire.
Jeanne d'Arc dit avoir entendu des voix venues du Ciel qui lui ont confié la mission de libérer le royaume de France. En 1429, la jeune fille va à Chinon pour rencontrer Charles VII et lui redonner confiance. Elle le persuade de lui confier une armée et délivre bientôt Orléans, assiégée par les Anglais. Forte de cette victoire, Jeanne conduit Charles à Reims, où il est enfin sacré roi de France.
Mais l'aventure héroïque de Jeanne d'Arc prend brutalement fin. Faite prisonnière par les Bourguignons devant Compiègne en 1430, livrée aux Anglais, elle est jugée comme sorcière à Rouen. Elle meurt brûlée vive le 30 mai 1431, sans que Charles VII tente de lui porter secours. □

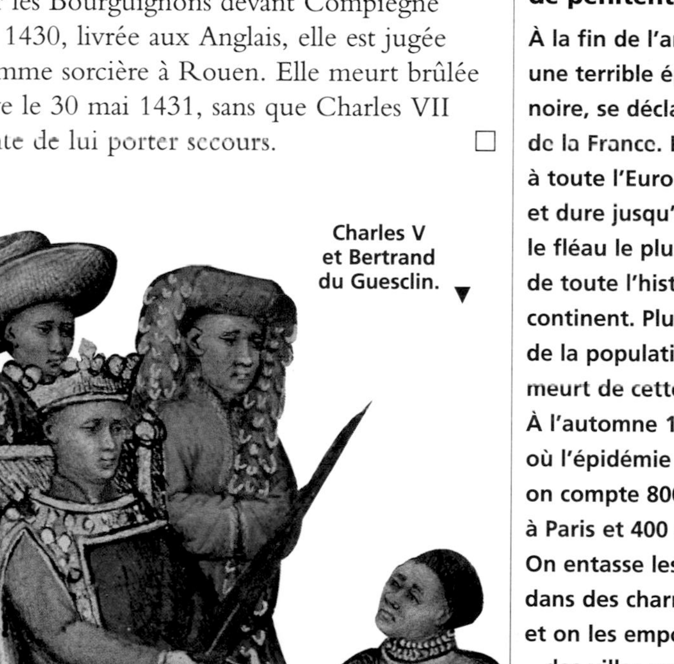

Charles V et Bertrand du Guesclin. ▼

Une procession de pénitents ▲

À la fin de l'année 1347, une terrible épidémie, la Peste noire, se déclare dans le sud de la France. Elle s'étend à toute l'Europe occidentale et dure jusqu'en 1353. C'est le fléau le plus destructeur de toute l'histoire de ce continent. Plus d'un tiers de la population française meurt de cette maladie. À l'automne 1348, au moment où l'épidémie est la plus forte, on compte 800 morts par jour à Paris et 400 à Avignon. On entasse les cadavres dans des charrettes et on les emporte hors des villes pour les brûler. Pensant que la Peste noire est un châtiment envoyé par Dieu, les gens pieux implorent son pardon en suivant les processions de pénitents (ci-dessus) et en participant à de grandes cérémonies religieuses. À l'époque, la médecine ne peut rien contre cette maladie.

le temps des vendanges dans un riche domaine

Le redressement de la France

Charles VII (1403-1461) ▲

Au début de son règne, Charles VII est menacé, car les Anglais occupent presque toute la France. Grâce à Jeanne d'Arc, il est sacré à Reims (1429), devenant alors roi à part entière. Il gouverne ensuite avec une grande fermeté et redonne tout son prestige au pouvoir royal.

Louis XI (1423-1483)

Louis XI consacre beaucoup de temps aux affaires du royaume. Il veut être au courant de tout et, selon un ambassadeur italien, il tisse sa toile comme une araignée qui tend son piège. ▼

L'élan donné par Jeanne d'Arc a été décisif. Après la mort de Jeanne, le roi Charles VII continue de lutter contre l'Angleterre jusqu'à la victoire, tout en réorganisant le pays. Son fils, Louis XI, poursuit son œuvre et renforce l'autorité royale.

La fin de la guerre de Cent Ans

Entouré de bons conseillers, Charles VII engage, à partir de 1445, une importante réforme militaire. Il met en place une armée dont il peut disposer en permanence, constituée notamment d'archers et d'arbalétriers. De nouveaux engins de guerre apparaissent, tels que les couleuvrines, des canons plus maniables que les vieilles bouches à feu. Les Français reprennent l'offensive dès 1449 et reconquièrent l'Île-de-France, la Normandie et l'Aquitaine. Malgré l'absence de traité de paix, on estime que la guerre de Cent Ans prend fin en 1453. Seule la ville de Calais reste, pour un siècle encore, la propriété de l'Angleterre.

Le retour de la prospérité

Le royaume de France est libéré, mais c'est un pays qu'il faut maintenant reconstruire. Charles VII prend des mesures pour relancer l'économie. Afin d'aider les paysans à remettre en culture des terres dévastées par la guerre, il les dispense de payer certains impôts. Des accords commerciaux sont signés avec les pays méditerranéens, et les négociants français en profitent. Jacques Cœur, le plus célèbre de ces marchands, possède des navires qui vont chercher en Orient et rapportent en France des produits très appréciés (épices, soieries, parfums, colorants, etc.).

Une fête à la cour du duc de Bourgogne. ▼

Charles VII meurt en 1461. Il laisse un royaume de France qui a retrouvé le chemin de la prospérité.

Louis XI, un roi habile et moderne

Le fils de Charles VII, Louis XI, est un roi peu ordinaire. D'allure simple, vêtu comme un bourgeois, il étonne ses contemporains. À l'inverse de nombreux princes, il n'aime pas la guerre, qu'il juge trop coûteuse et trop incertaine. Il préfère la discussion, la diplomatie et la ruse.
Louis XI gouverne en imposant sa volonté aux grands seigneurs, aux juges, aux prêtres, n'hésitant pas à faire emprisonner ceux qui lui résistent. Il s'intéresse aussi au renouveau économique. Il crée ainsi de grandes foires commerciales à Rouen, à Caen et à Lyon, et développe l'industrie de la soie. En 1470, il installe à Paris la première imprimerie.

construction de fortifications à Marseille, vers 1475

Le combat contre Charles le Téméraire

Mais le grand souci de Louis XI reste la lutte qu'il mène contre les très puissants États bourguignons. Les possessions des ducs de Bourgogne recouvrent deux vastes territoires : la Bourgogne et la Franche-Comté au sud, la Flandre, une partie du Luxembourg et de la Hollande au nord. Pendant le règne de Charles VII, le duc de Bourgogne, Philippe le Bon, est devenu un prince très influent et très riche. Son fils, Charles le Téméraire, a l'ambition de créer un royaume grâce à l'annexion de territoires français situés entre ses possessions du Nord et du Sud.

Évitant une attaque de front, Louis XI s'allie avec le duc de Lorraine et les Suisses. Charles le Téméraire, vaincu par ces derniers en 1476 à Grandson et à Morat, près de Berne, meurt peu après devant Nancy, en 1477. Le dernier duc de Bourgogne ayant disparu, Louis XI rattache son duché à la France et récupère la Picardie. Les autres territoires bourguignons deviennent la propriété de l'archiduc Maximilien d'Autriche, qui a épousé la fille de Charles le Téméraire. Par ailleurs, Louis XI ajoute à la couronne l'Anjou, le Maine, la Provence et le Roussillon. À sa mort, en 1483, le royaume de France s'est considérablement agrandi et le pouvoir royal s'est fortement renforcé. □

Devant la boutique d'un riche commerçant du XVe s. ▼

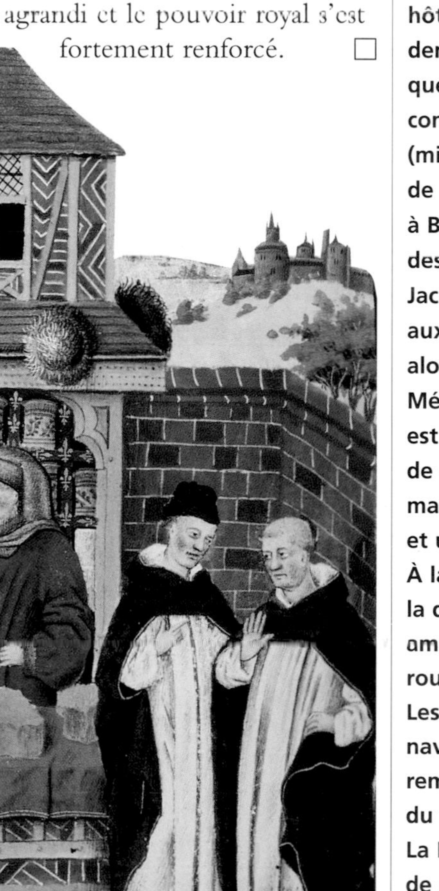

La nef de Jacques Cœur ▲

Ce vitrail orne le magnifique hôtel particulier (grande demeure dans une ville) que Jacques Cœur, grand commerçant et argentier (ministre des Finances) de Charles VII, a fait construire à Bourges. En envoyant des navires en Orient, Jacques Cœur fait concurrence aux Italiens, qui dominaient alors le commerce en Méditerranée. Jacques Cœur est aussi un industriel. Il crée de grands ateliers, dont une manufacture de soieries et une papeterie. À la fin du XVe s., la découverte du continent américain ouvre de nouvelles routes maritimes. Les caravelles et d'autres navires plus maniables remplacent les lourdes nefs du temps de Jacques Cœur. La Méditerranée va perdre de son importance au profit de l'océan Atlantique.

des rois tout

puissants

En Italie, les rois de France découvrent un nouvel art de vivre et de grands artistes. La Renaissance gagne la France. Mais, dans la seconde moitié du siècle, les divisions entre chrétiens déclenchent une sanglante guerre civile.

La Renaissance

1483-1498 Règne de Charles VIII.
1491 Mariage de Charles VIII et d'Anne de Bretagne.
1492 Christophe Colomb découvre l'Amérique.
1494 Début des guerres d'Italie.
1498-1515 Règne de Louis XII.
1515-1547 Règne de François Ier.
1515 Victoire de François Ier à Marignan.
1525 Bataille de Pavie. François Ier est fait prisonnier.
1534 Jacques Cartier découvre le fleuve Saint-Laurent. Il prend possession, au nom du roi, de cette terre, baptisée Nouvelle-France.
1547-1559 Règne d'Henri II.
1559 Paix du Cateau-Cambrésis. Fin des guerres d'Italie.
1559-1560 Règne de François II.
1560-1574 Règne de Charles IX.
1562 À Wassy, des catholiques massacrent des protestants ; début des guerres de Religion (jusqu'en 1593).
1572 Massacre de la Saint-Barthélemy.
1574-1589 Règne d'Henri III.
1588 Henri III fait assassiner le duc de Guise.
1589 Henri III est assassiné.
1589-1610 Règne d'Henri IV.
1598 L'édit de Nantes accorde aux protestants plusieurs garanties.
1608 Samuel Champlain fonde Québec, au Canada.
1610 Henri IV est assassiné par Ravaillac.

À la mort de Louis XI, en 1483, son fils, Charles VIII, a 13 ans. Sa sœur aînée, Anne de Beaujeu, est nommée régente (elle doit exercer le pouvoir jusqu'à la majorité du roi). En 1491, elle marie le jeune souverain à Anne de Bretagne, héritière du duché de Bretagne, qui sera ainsi plus tard rattaché à la couronne de France.

Le roi Louis XII et la « Fortune ». À gauche, Anne de Bretagne et sa fille, Claude de France.

Des rois guerriers

En 1492, Charles VIII est majeur. Il engage la France dans les guerres d'Italie, que poursuivront ses successeurs, Louis XII et François Ier. L'Italie, à cette époque, est divisée en de nombreux petits États. Les rois de France font valoir leurs droits sur deux d'entre eux – le royaume de Naples (sud de l'Italie) et le Milanais (nord de l'Italie) –, qui appartenaient autrefois à leur famille. Les guerres commencent en 1494. Dès l'année suivante, Charles VIII entre à Naples, mais il doit vite se replier. À sa mort, son cousin, Louis XII (1498-1515), lui succède. Le nouveau roi épouse à son tour Anne de Bretagne et organise lui aussi des expéditions en Italie.
Dès son avènement, en 1515, le cousin de Louis XII, François Ier, part en campagne. La même année, à Marignan, il remporte une grande victoire.
À nouveau maître du Milanais, François Ier doit alors affronter un redoutable adversaire, Charles Quint. Ce dernier, roi d'Espagne depuis 1516, est élu empereur germanique en 1519. Il règne sur une grande partie de l'Europe : l'Espagne, l'Autriche, les Pays-Bas, une partie de l'Italie… Cinq guerres, réparties sur près de quarante ans (1521-1559), vont opposer Charles Quint à la France. Pendant la première, les Français perdent le Milanais en 1522 et subissent en 1525 une défaite désastreuse à Pavie.

La France de François Ier

Les guerres d'Italie sont coûteuses, mais elles permettent de diffuser en France les raffinements de la Renaissance. C'est en Italie, en effet, qu'est apparu un art nouveau, inspiré de l'Antiquité grecque et romaine (une « re-naissance »). Les Français vont reproduire chez eux ce modèle. Les nobles font venir d'Italie des architectes, des sculpteurs, des peintres. Partout s'élèvent des châteaux agréables à vivre, pourvus de larges fenêtres, de balcons, ornés de sculptures. François Ier lui-même fait édifier au bord de la Loire le château de Chambord et modernise le palais du Louvre, à Paris.
Ce renouveau n'aurait pas été possible sans la richesse économique du royaume. Or la France est alors le pays le plus peuplé d'Europe (16 millions d'habitants). Ses campagnes sont prospères, ses industries aussi. Grâce aux progrès du commerce vers l'Amérique (découverte par Christophe

la bataille de Marignan (septembre 1515)

Colomb en 1492), des ports se développent, tels Rouen et Le Havre, qui est fondé dès 1517. Et la France participe aux grands voyages vers l'ouest : Jacques Cartier atteint en 1534 l'embouchure du fleuve Saint-Laurent, au Canada.

Le renouvellement des idées

La Renaissance se caractérise aussi par une nouvelle forme de pensée, l'humanisme. Les humanistes mettent en valeur les qualités de l'homme : l'audace, l'esprit d'entreprise, l'intelligence, la liberté de penser et d'agir. François Ier encourage ce mouvement. En 1530, il fonde le Collège de France, où l'on peut étudier le grec ancien, l'hébreu et les mathématiques. La religion n'échappe pas à ce profond renouvellement. En 1517, un moine allemand, Martin Luther, critique sévèrement l'Église catholique et son chef, le pape. Il leur reproche de vivre dans un luxe inouï, de vendre aux croyants des « indulgences » pour racheter leurs fautes... Luther est à l'origine de l'Église réformée, une forme nouvelle du christianisme (voir *les Religions du monde*). En 1536, un jeune Français, Jean Calvin, reprend les idées de Luther en les modifiant. Le calvinisme s'implante en France et en Suisse, où Calvin a dû s'exiler. En France, on donne aux adeptes de la religion réformée les noms de « réformés », « protestants » ou « huguenots ». □

François Ier reçoit Charles Quint à Paris. ▼

Rabelais (vers 1494-1553) ▲

Médecin, prêtre, curieux de tout, tolérant, François Rabelais est un des auteurs les plus originaux de la Renaissance. En racontant d'une façon souvent très drôle les aventures de géants – Pantagruel, Gargantua et Grandgousier –, il décrit un monde où la liberté, la paix, l'intelligence finissent par l'emporter sur la bêtise et la violence. Rabelais est ainsi un parfait modèle des humanistes de la Renaissance, à la fois savant et passionné par les nouvelles idées de son temps.
D'autres écrivains ont marqué le renouveau de la littérature française au XVIe s., que le roi François Ier soutient. Ainsi, sept poètes, dont les plus célèbres sont Pierre de Ronsard et Joachim du Bellay, créent le groupe de la Pléiade. Dans leurs œuvres, ces auteurs évoquent leurs émotions, les femmes aimées, le charme de la nature...

les protestants de Lyon réunis dans un temple vers 1565

Le temps des guerres de Religion

Catherine de Médicis (1519-1589) ▲

Italienne, fille de Laurent II de Médicis, duc d'Urbino, Catherine de Médicis épouse en 1533 le futur roi Henri II. Mère de François II, Charles IX et Henri III, elle joue un rôle important lors des guerres de Religion. Elle porte une lourde responsabilité dans le massacre de la Saint-Barthélemy.

Michel de Montaigne (1533-1592)

En pleine période des guerres de Religion, Montaigne rédige ses *Essais*, où il note ses réflexions et ses réactions. Dans ce temps de guerre civile, il plaide pour le bon sens, la tolérance et la liberté. ▼

Le long conflit entre la France et l'empire de Charles Quint (voir p. 36) ne s'achève que sous le règne d'Henri II (1547-1559), fils et héritier de François Ier. Le traité signé en 1559 au Cateau-Cambrésis, près de Cambrai, met fin aux guerres d'Italie. La France renonce définitivement au Milanais.
Lors de la fête donnée pour célébrer ce traité, le roi est blessé à mort au cours d'un tournoi. Son fils et successeur, François II, a 15 ans, et il meurt l'année suivante. Le deuxième fils d'Henri II, Charles IX (1560-1574), monte alors sur le trône. Il n'a que 10 ans. Sa mère, Catherine de Médicis, devient régente. Elle va devoir affronter une terrible guerre civile entre catholiques et protestants.

Des années de massacres

Tolérés en France dans les années 1520, les protestants (voir p. 37) commencent à être persécutés dès la seconde moitié du règne de François Ier. Le roi de France, catholique, n'admet pas, en effet, que ses sujets puissent avoir une autre religion que la sienne. Vers 1550, les protestants représentent cependant environ 10 % des Français et ils se retrouvent dans toutes les couches de la société : paysans, bourgeois, nobles. Il y a parmi eux de grands seigneurs, tels l'amiral de Coligny, les princes de Bourbon et de Condé.
Avec l'aide de son chancelier (ministre de la Justice) Michel de L'Hospital, Catherine de Médicis tente d'abord de concilier les deux partis ennemis. Mais, en 1562, le duc François de Guise fait massacrer des réformés réunis pour prier dans une grange à Wassy, en Champagne. Cette tuerie déclenche une suite de huit guerres de Religion qui ensanglantent la France de 1562 à 1593. Les catholiques aussi bien que les protestants commettent des atrocités pendant ces périodes de luttes entrecoupées de trêves.
L'épisode le plus meurtrier se situe en 1572. Catherine de Médicis décide d'éliminer les principaux chefs protestants rassemblés à Paris pour le mariage d'un des leurs, Henri de Navarre (le futur Henri IV), avec la sœur du roi Charles IX, Marguerite de Valois. Au matin du 24 août, jour de la Saint-Barthélemy, la plupart des chefs réformés et environ 3 000 protestants de Paris sont massacrés. D'autres massacres ont lieu dans plusieurs villes du pays.
Charles IX meurt en 1574. Son frère Henri III lui succède et accorde la liberté de culte aux protestants. Henri le Balafré,

Un bal à la cour d'Henri III. ►

jour de fête pour célébrer la paix retrouvée au temps d'Henri IV

Le massacre de la Saint-Barthélemy (24 août 1572).

duc de Guise, rassemble alors les catholiques mécontents et fonde la Sainte Ligue. Inquiet de la grande popularité du duc, Henri III le fait assassiner en 1588. Un an plus tard, le roi est tué à son tour par un moine de la Ligue, Jacques Clément.

Le « bon roi » Henri IV

Avant de mourir, Henri III, qui n'a pas d'enfant, a désigné comme successeur son cousin Henri de Navarre. Mais ce dernier est protestant, et les catholiques refusent de le reconnaître pour roi. En 1593, Henri IV décide donc de renoncer à sa religion et se convertit au catholicisme. Il est sacré roi en 1594.
Son principal souci est de mettre un terme aux guerres de Religion. En 1598, il signe à Nantes un édit qui accorde la liberté de culte aux protestants. Puis il se consacre au redressement de la France, ruinée par trente années de combats.

Son ami et ministre Sully remet de l'ordre dans les finances royales en réduisant les dépenses et en créant des impôts nouveaux. En revanche, il allège la taille, un impôt qui pèse trop lourdement sur les paysans. Car Sully et Henri IV veulent favoriser l'agriculture. Le commerce et l'industrie sont également soutenus. Des manufactures (établissements industriels) sont créées : soieries, tapisseries, verreries, draperies... Des routes, des ponts et des canaux sont construits.
Henri IV s'intéresse aussi aux expéditions vers les pays lointains. En 1608, en Nouvelle-France (Canada), Samuel Champlain fonde Québec.
Mais l'œuvre du roi est brutalement interrompue : en 1610, Henri IV est poignardé, en plein Paris, par Ravaillac. □

Henri IV (1553-1610)

**Fils d'Antoine de Bourbon et de Jeanne d'Albret, la fille du roi de Navarre, Henri IV est élevé dans la religion protestante.
Peu aimé de son vivant, Henri IV devient, après sa mort, le plus populaire des rois de France. Lui-même avait dit : « Le naturel des Français est de n'aimer point ce qu'ils voient. Ne me voyant plus, vous m'aimerez et, quand vous m'aurez perdu, vous me regretterez. » Les descendants d'Henri IV, les Bourbons, vont régner sur la France jusqu'en 1830. ▼**

Sous le règne de Louis XIII, le cardinal de Richelieu met tout en œuvre pour accroître l'autorité du roi, auquel nul ne doit résister. Avec Louis XIV, la monarchie devient absolue : tous les pouvoirs appartiennent au souverain.

Les rois absolus

1610-1643 Règne de Louis XIII ; en 1610, la régence est confiée à Marie de Médicis.
1617 Mort des Concini, conseillers de Marie de Médicis.
1624 Richelieu entre au Conseil du roi.
1626 Un édit (loi) interdit les duels.
1627-1628 Siège et prise de La Rochelle, grande place forte protestante.
1630 Journée des Dupes. Richelieu l'emporte sur Marie de Médicis.
1635 Fondation de l'Académie française.
1642 Mort de Richelieu.
1643 Victoire de Rocroi sur les Espagnols.
1643-1715 Règne de Louis XIV ; en 1643, la régence est confiée à Anne d'Autriche, qui gouverne avec le cardinal Mazarin.
1648-1652 La Fronde, révolte des grands seigneurs et des magistrats.
1661 Mort de Mazarin. Louis XIV commence à gouverner seul.
1664 Colbert est nommé contrôleur général des Finances.
1681 Annexion de Strasbourg.
1682 La cour s'installe à Versailles.
1685 Révocation de l'édit de Nantes.
1715 Mort de Louis XIV.

La reine, le roi Louis XIII et le cardinal de Richelieu au théâtre.

En 1600, après l'annulation de son mariage avec Marguerite de Valois, Henri IV avait épousé Marie de Médicis, fille du grand-duc de Toscane. Lors de l'assassinat du roi, en 1610, son fils aîné, Louis XIII, a 9 ans. Le parlement de Paris (une assemblée de hauts magistrats ayant des pouvoirs étendus dans le domaine de la justice et de l'administration) confie la régence à sa mère, la reine Marie de Médicis. Celle-ci est très mal conseillée par un couple d'Italiens, Leonora et Concino Concini.
Quant aux princes de la famille royale et aux seigneurs de haut rang, ceux que l'on appelle les « Grands », ils profitent de la situation pour se faire verser des pensions (sommes d'argent) considérables. En quelques années, les millions amassés par Sully et Henri IV sont dépensés.

Louis XIII et Richelieu

Déclaré majeur en 1614, le jeune Louis XIII se débarrasse des Concini en 1617 : il fait assassiner Concino et exécuter sa femme comme sorcière. Mais la situation de la France demeure critique : les Grands refusent d'obéir au roi ; les protestants entrent en rébellion dans plusieurs provinces.
Tout va changer à partir de 1624, lorsque Louis XIII appelle auprès de lui le cardinal de Richelieu (1585-1642). Jusqu'à sa mort, Richelieu dirige d'une main de fer la politique intérieure et extérieure du royaume. Il veut d'abord réduire l'influence des protestants, qui représentent une force politique et militaire qu'il juge dangereuse. En 1627, il met le siège devant leur principale place forte, La Rochelle. Après une résistance

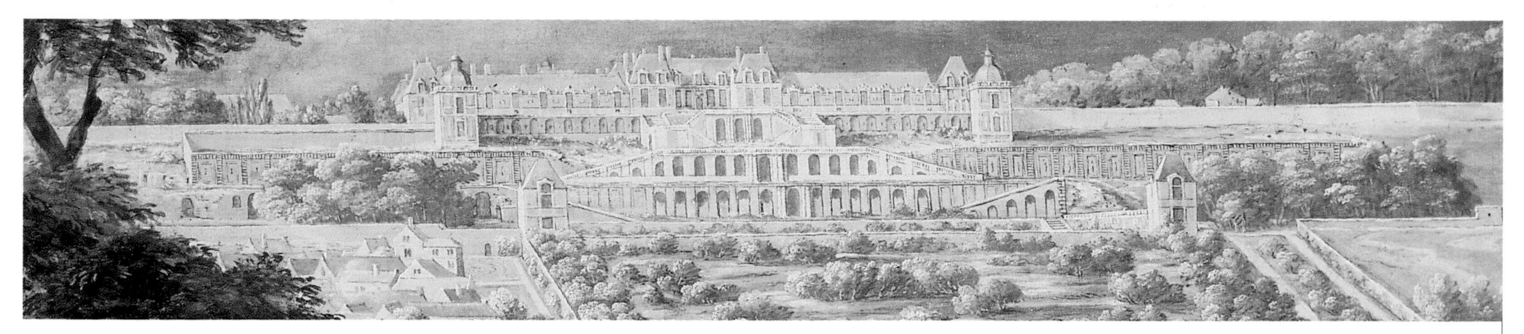
le château de Saint-Germain-en-Laye vers 1640

courageuse, la ville capitule en 1628.
Ensuite, Richelieu mène victorieusement la guerre contre les protestants du Languedoc. À Alès, en 1629, Louis XIII signe un édit de grâce qui autorise les protestants à pratiquer leur religion, mais leur enlève leurs privilèges (droit de tenir des assemblées politiques, possession de places fortes).
La lutte contre les Grands est tout aussi implacable. Ainsi en 1626, après un édit interdisant aux nobles de s'affronter en duel, le comte de Bretteville nargue le cardinal en se battant en plein jour à Paris. Louis XIII donne l'ordre de le décapiter.
La famille du roi elle-même - son frère, Gaston d'Orléans, sa mère, Marie de Médicis, et sa femme, Anne d'Autriche – complote contre Richelieu. En 1630, Marie de Médicis exige son renvoi. En fait, Louis XIII choisit de garder Richelieu et fait emprisonner la reine et ses amis. C'est la « journée des Dupes ».

Une France puissante

Richelieu a aussi décidé de donner à la France la première place en Europe. En 1635, il déclare la guerre à l'Espagne, l'autre grande puissance européenne. Au début, les Français subissent des revers, puis ils remportent des succès.
La victoire de Rocroi, en mai 1643, a lieu peu de temps après la mort de Louis XIII. De grands soldats, comme Turenne et Condé, s'illustrent alors particulièrement.
Cette guerre coûte très cher.
Richelieu se consacre assez peu au développement de l'agriculture et de l'industrie, mais il favorise le commerce extérieur. Il crée par exemple des comptoirs (établissements commerciaux) aux Antilles, au Sénégal, à Madagascar et au Canada.
Le cardinal se veut aussi un protecteur de la littérature, ce qui est d'ailleurs une façon de contrôler les écrivains.
En 1635, il crée l'Académie française, composée de quarante membres chargés de rédiger un dictionnaire et de fixer les règles de la langue. À cette époque, la France connaît un renouveau littéraire remarquable, qui annonce le triomphe des grands auteurs du règne de Louis XIV.
En 1636, la représentation du *Cid*, tragédie de Pierre Corneille, enthousiasme les Parisiens et constitue le premier chef-d'œuvre du théâtre classique. □

◄ Armand Jean du Plessis, cardinal de Richelieu.

Une famille de paysans (tableau de Le Nain). ▲

La vie des paysans est très dure à l'époque de Louis XIII et de Richelieu. Après plusieurs années de mauvaises récoltes, des épidémies fréquentes frappent les campagnes. En outre, la guerre contre l'Espagne est ruineuse. Pour payer les dépenses qu'elle entraîne, le poids des impôts est multiplié par trois. La misère est si grande que des révoltes paysannes éclatent : en 1630, celle des « Lanturelus », en Bourgogne ; en 1637, celle des « Croquants », dans le Périgord ; en 1639, celle des « Va-nu-pieds », en Normandie. Les pauvres gens envahissent les villes et s'en prennent aux officiers des impôts. Mais la répression est toujours très violente, et les paysans sont massacrés.

le mariage de Louis XIV et de Marie-Thérèse d'Autriche

Louis XIV, le « Roi-Soleil »

Molière (1622-1673) ▼
Jean-Baptiste Poquelin, dit Molière, est à la fois acteur, metteur en scène et auteur de comédies qui sont toujours jouées dans le monde entier.

Grâce à la protection de Louis XIV, Molière triomphe de ses adversaires qui lui reprochent de critiquer la société de son temps.
Sous le règne du Roi-Soleil, la littérature française se distingue par la simplicité de son vocabulaire et la clarté du récit.
On parle de littérature « classique ». Celle-ci atteint la perfection dans la tragédie, avec Racine, la fable, avec La Fontaine, la correspondance, avec Mme de Sévigné...

À la mort de Louis XIII, en 1643, son fils, Louis XIV, est un enfant de 5 ans. La régence est confiée à la reine Anne d'Autriche, mère du roi, qui va gouverner avec l'aide du cardinal Mazarin, ancien collaborateur de Richelieu.
L'autorité de la régente et de son ministre est contestée à la fois par les hauts magistrats du parlement de Paris et par les grands seigneurs : leur rébellion, qui dure de 1648 à 1652, est appelée la Fronde.
Malgré les difficultés entraînées par la Fronde, Mazarin parvient à mettre un terme à la guerre avec l'Espagne, commencée par Richelieu. En 1659, la paix des Pyrénées est signée. L'Espagne rend l'Artois et le Roussillon à la France. Le mariage de la fille du roi d'Espagne, l'infante Marie-Thérèse d'Autriche, avec Louis XIV est alors décidé.

Un roi absolu

À la mort de Mazarin, en 1661, Louis XIV règne seul. Le jeune roi ne veut pas d'un grand ministre qui gouverne à sa place : *« L'État, c'est moi ! »,* déclare-t-il. Il exige que toutes les décisions relèvent seulement de lui.
Louis XIV sait pourtant s'entourer d'excellents collaborateurs, comme Colbert et Louvois.
Contrôleur des Finances, intendant des Bâtiments, intendant des Mines, etc., Colbert attache une grande importance au commerce. Pour réduire l'importation des articles de luxe, il encourage la création de manufactures (entreprises industrielles) de tapisseries, de miroirs, de faïences..., dont la production se vend en France et s'exporte dans l'Europe entière. Colbert modernise aussi les routes et les ports, et crée cinq grandes compagnies de commerce qui travaillent sur tous les continents.
Pour protéger la navigation sur les mers et lutter contre les flottes anglaise et hollandaise, il développe une importante marine de guerre.
Afin de faire face aux nombreuses guerres menées par Louis XIV, Louvois, ministre de la Guerre, réorganise l'armée. Un de ses collaborateurs, Vauban, est un maître dans l'art de la fortification. Il construit quelque 300 places fortes aux frontières.

◄ **Une dame et son cavalier habillés à la mode des années 1680.**

La galerie des Glaces, à Versailles.

La gloire du Roi-Soleil

Pour éviter de nouvelles révoltes des nobles, Louis XIV les attire près de lui, à sa cour. Là, tout est centré sur sa personne,

Louis XIV dans son carrosse

symbolisée par un soleil. Les nobles se disputent pour exercer une fonction dans la maison du roi : officiers de la Bouche et du Gobelet (chargés des repas), Grand Écuyer (chargé de l'écurie), Grand Veneur (organisateur des chasses), etc. Près de dix mille courtisans sont ainsi attachés à tous les services de la cour.
Dès 1661, Louis XIV décide de transformer un pavillon de chasse qu'il possède à Versailles en un somptueux palais. Les meilleurs artistes du siècle dirigent ce gigantesque chantier. La cour s'installe définitivement en 1682 dans cette splendide résidence, dont le parc immense est orné de bassins et de statues.
Des fêtes – ballets, concerts, représentations théâtrales, bals – divertissent les courtisans.

Une fin de règne difficile

Les splendeurs de Versailles ne peuvent cependant cacher les aspects très sombres du règne. Pour affirmer sa puissance, Louis XIV mène des guerres incessantes contre les pays voisins. Dans le royaume même, il s'attaque aux protestants. En 1685, il révoque (supprime) l'édit de Nantes qu'Henri IV leur avait accordé (voir p. 39). Malgré l'interdiction d'émigrer, plus de 200 000 protestants préfèrent quitter la France plutôt que de ne plus pouvoir pratiquer leur religion.
Pendant les dernières années de son règne, Louis XIV se heurte à de graves problèmes, à l'intérieur et à l'extérieur. Quand le roi meurt, en 1715, à l'âge de 77 ans, le pays est au bord de la ruine. □

Le doge de Gênes reçu par Louis XIV, à Versailles, en 1685. ►

Louis XIV au siège de Tournai (1667) ▲

Pour Louis XIV, la France doit être le premier pays d'Europe. Son ministre de la Guerre, Louvois, met sur pied une armée moderne, très disciplinée. Il crée des magasins pour rassembler vivres et munitions, des hôpitaux fixes ou ambulants (qui suivent les soldats en campagne). Le roi a ainsi les moyens d'imposer sa volonté. Il conduit de nombreuses guerres, notamment contre l'Espagne et ses possessions dans le Nord. D'abord victorieux, il agrandit le royaume d'une partie de la Flandre, puis de la Franche-Comté (1678). Il occupe Strasbourg en 1681. À la fin de son règne, en revanche, l'armée française subit des revers, et Louis XIV cède de vastes territoires en Amérique (l'Acadie, Terre-Neuve...). Le royaume sort épuisé de ces guerres ruineuses.

Louis XIV et les savants

Pour sa gloire, Louis XIV fait bâtir Versailles (ci-dessus), le plus beau palais de son temps. Mais il sait aussi que les artistes et les savants augmenteront encore sa renommée. Il protège donc les uns et les autres. Ce tableau, qui a été peint par Henri Testelin, représente une scène qui se déroule en 1681. Le roi, assis, vient visiter l'Académie des sciences, fondée en 1666 par Colbert. L'Observatoire de Paris, dont la première pierre fut posée en 1667, apparaît en haut du tableau. Livres, cartes, mappemonde montrent tout l'intérêt que le Roi-Soleil porte aux connaissances et à la recherche scientifique.

Louis XV et, plus encore, Louis XVI ont du mal à maintenir la monarchie absolue héritée de Louis XIV. Des idées nouvelles, répandues par les philosophes du Siècle des lumières, annoncent la fin de l'Ancien Régime.

La France du XVIIIe siècle

1715 Louis XV devient roi. La régence est assurée par Philippe d'Orléans (jusqu'en 1723).
1721 Publication des *Lettres persanes* de Montesquieu.
1734 Publication des *Lettres philosophiques* de Voltaire.
1745 Victoire française à Fontenoy. Mme de Pompadour commence à jouer un rôle important auprès de Louis XV.
1751 Parution du premier volume de l'*Encyclopédie* de Diderot.
1761-1764 Voltaire se bat pour réhabiliter Calas.
1763 Traité de Paris : la France perd ses possessions en Amérique et aux Indes.
1766 La Lorraine est rattachée à la France.
1768 La France achète la Corse à la ville de Gênes (Italie).
1774 Mort de Louis XV ; Louis XVI devient roi.
1778 La France s'allie avec les insurgés d'Amérique contre l'Angleterre.
1783 Traité de Paris : l'Angleterre reconnaît l'indépendance de ses 13 colonies d'Amérique. Le ballon des frères Montgolfier s'envole.
1785 Départ de l'expédition de La Pérouse vers le Pacifique.
1788 Louis XVI convoque les États généraux pour le mois de mai 1789.

À la mort du Roi-Soleil, en 1715, l'héritier du trône est son arrière-petit-fils, un orphelin de 5 ans. Son oncle, le duc Philippe d'Orléans, dirige le royaume jusqu'en 1723 : c'est le Régent. Après la tristesse et la sévérité des dernières années du règne de Louis XIV, la Régence se présente comme une époque de plaisirs, de fêtes et de liberté.

Louis XV le « Bien-Aimé »

Louis XV commence à exercer le pouvoir en 1723. Il est alors si populaire qu'on le surnomme le Bien-Aimé. En 1725, il épouse Marie Leszczyńska, dont le père, roi de Pologne, sera aussi le souverain de la Lorraine. De 1726 à 1743, Louis XV confie le gouvernement au cardinal de Fleury. Celui-ci, pour encourager le commerce intérieur, fait construire un réseau routier qui deviendra le plus moderne d'Europe. Le commerce maritime se développe aussi. Les colonies des Antilles fournissent des denrées très appréciées – le sucre, le café, le tabac, le cacao, les bois précieux – et le trafic de ces produits fait la fortune de deux grands ports, Nantes et Bordeaux. Les négociants ont mis en place un commerce dit « triangulaire » : ils partent de France, achètent des esclaves noirs en Afrique, les transportent dans des conditions épouvantables aux Antilles, puis les vendent en échange des produits recherchés.
Louis XV participe aussi aux guerres en Europe. À la bataille de Fontenoy, en 1745,

Louis XV à la bataille de Fontenoy. ▼

la construction d'une route au XVIIIe s.

La reine Marie-Antoinette et ses enfants.

les Français remportent une belle victoire sur les Anglais et les Hollandais. Mais ce succès ne sert que la gloire du roi.

Louis XV le « Mal-Aimé »

À partir de 1745, Louis XV est très influencé par son amie la marquise de Pompadour, qui entraîne la cour dans des fêtes somptueuses. Mme de Pompadour encourage les artistes et les écrivains. Ses folles dépenses nuisent cependant à l'image du roi, que ses sujets aiment de moins en moins.
En outre, Louis XV ne parvient pas à changer ce qui devrait l'être. Ses ministres préparent pourtant des réformes. Ainsi, en 1759, le contrôleur des Finances, Étienne de Silhouette, propose de prélever un impôt sur les terres des nobles. En 1771, René Nicolas de Maupeou tente de rendre la justice plus accessible et moins chère. Mais tous ces projets échouent, car ils touchent aux privilèges des nobles et des juges.
Enfin, les dernières campagnes militaires de Louis XV se terminent mal. En 1763, le traité de Paris met fin à la guerre de Sept Ans engagée contre la Prusse et l'Angleterre. La France perd toutes ses possessions au Canada, en Louisiane et aux Indes. En 1766, cependant, à la mort de Stanislas Leszczyński, la Lorraine est rattachée à la France. Et en 1768, Louis XV achète la Corse à la ville italienne de Gênes.

Le dernier roi de l'Ancien Régime

Louis XVI, petit-fils de Louis XV, monte sur le trône en 1774. Il a 20 ans. L'aristocratie est plus que jamais hostile aux réformes, tandis que la bourgeoisie veut jouer un rôle politique plus actif. En outre, à partir des années 1780, l'agriculture et le commerce connaissent une crise, ce qui provoque famine et chômage.
Pour gouverner, Louis XVI choisit de bons ministres, comme Turgot, Necker et Calonne. Mais, comme sous Louis XV, les classes privilégiées font échouer les réformes. Alors que le peuple manque de tout, la jeune reine Marie-Antoinette, fille de l'impératrice d'Autriche Marie-Thérèse, dépense sans compter. Elle devient vite très impopulaire.
Malgré les difficultés financières, la France apporte son aide aux 13 colonies anglaises d'Amérique qui luttent pour leur liberté. Au traité de Paris, en 1783, l'Angleterre doit reconnaître l'indépendance de ses colonies, qui deviennent les États-Unis d'Amérique. Cette guerre ruine un peu plus les finances royales. En 1788, la France est au bord de la faillite. Il faut trouver de l'argent. Louis XVI se résigne alors à convoquer les États généraux, une assemblée qui réunit les représentants de la noblesse, du clergé et du tiers état (tous les autres Français). Le grand rendez-vous est fixé au mois de mai 1789, à Versailles. □

La chute de Québec ▲

En 1759, les Anglais débarquent près de Québec. Malgré une résistance farouche des Français, ils prennent la ville.

Soldats français de la campagne en Amérique

Les Français prennent parti pour les colons américains qui luttent contre l'Angleterre. À partir de 1777, de nombreux volontaires, dont le marquis de La Fayette, vont servir sous les ordres du général américain George Washington. Puis Louis XVI envoie en Amérique 6 000 soldats. En 1781, Américains et Français battent l'armée anglaise à Yorktown. ▼

rôtisseur, cuisinier, pâtissier (illustration de l'*Encyclopédie*)

Le Siècle des lumières

Voltaire (1694-1778) ▲

Voltaire, de son vrai nom François Marie Arouet, a souvent dû fuir Paris pour échapper à la justice royale.

Rousseau (1712-1778)

Jean-Jacques Rousseau se sent proche de la nature. Dans *Émile ou De l'éducation* (1762), il propose de laisser les enfants découvrir les réalités du monde qui les entoure par l'expérience et par l'observation, et non dans les livres. ▼

Au XVIIIe s., la France connaît un rayonnement exceptionnel. Ses écrivains et ses savants sont des modèles dans tous les pays d'Europe et jusqu'en Amérique. Ils répandent les « Lumières », c'est-à-dire des idées et des connaissances nouvelles, qui s'appuient sur la raison, sur l'expérience et sur l'observation.

Des idées audacieuses

Dès la mort de Louis XIV, des écrivains français remettent en cause la monarchie absolue. Ainsi, en 1721, Montesquieu fait paraître les *Lettres persanes*. Il met en scène deux Persans qui visitent la France et ne cachent pas leur étonnement. Ils critiquent la toute-puissance du roi et l'orgueil des nobles. En 1734, Voltaire, dans les *Lettres philosophiques,* propose comme modèle l'Angleterre. Dans ce pays, le roi n'a pas tous les pouvoirs, les différentes croyances religieuses sont respectées, les citoyens sont protégés par l'habeas corpus (une institution qui interdit d'emprisonner un individu sans preuves sérieuses). Dans d'autres livres, Voltaire dénonce la condition misérable des esclaves, les privilèges des nobles et des juges. Comme Montesquieu et Voltaire, d'autres « philosophes » (amis de la sagesse, de la raison) du XVIIIe s. attaquent dans leurs œuvres toutes les injustices. Jean-Jacques Rousseau, par exemple, pense que l'homme est naturellement bon et que c'est la société, avec ses inégalités, qui le rend méchant. Les philosophes français sont admirés dans l'Europe entière. Voltaire passe trois ans à la cour du roi de Prusse Frédéric II, qui veut devenir son élève. L'impératrice de Russie Catherine II invite le philosophe Diderot à Saint-Pétersbourg.

Louis XVI et le navigateur La Pérouse. ▼

dans une fabrique de papier (illustration de l'*Encyclopédie*)

Antoine de Lavoisier et sa femme.

Les combats des philosophes

Les philosophes ne se contentent pas d'écrire. Ils se mettent aussi personnellement en cause, au risque d'être arrêtés, emprisonnés. Diderot consacre une partie de sa vie à la publication de l'*Encyclopédie,* énorme dictionnaire de 28 volumes de texte et de 11 volumes d'illustrations consacré à toutes les formes de la connaissance et des sciences.
Tous les écrivains et les savants du siècle participent à la rédaction des articles de l'*Encyclopédie,* dont la publication s'étend de 1751 à 1772. Accusé de propager des idées dangereuses, Diderot est emprisonné pendant plusieurs mois.
En 1761, Voltaire s'engage lui aussi personnellement dans une affaire judiciaire. Un protestant de Toulouse, Calas, accusé d'avoir assassiné son fils, est condamné : il est torturé et brûlé vif. Mais Voltaire est vite convaincu que Calas était innocent et qu'il a été victime du fanatisme religieux de juges catholiques. Pendant trois ans, le philosophe mène une bataille acharnée. En 1764, le jugement du tribunal de Toulouse est cassé et Calas est déclaré innocent ; sa mémoire est réhabilitée.

Les progrès scientifiques

La science joue un grand rôle durant le Siècle des lumières. Des ouvrages de vulgarisation expliquent aux gens curieux les nouvelles recherches scientifiques. Beaucoup de Français aisés possèdent chez eux des « laboratoires » – où ils se livrent à des expériences de physique et de chimie – ou des observatoires d'astronomie. Grâce à des travaux minutieux, Lavoisier découvre que l'eau n'est pas un élément simple, mais un corps composé de deux gaz, l'hydrogène et l'oxygène. Il invente la chimie moderne.
Les sciences naturelles font naître aussi de grandes curiosités. Jussieu acclimate dans le Jardin des plantes de Paris de nombreuses variétés d'arbres et de plantes étrangères. Buffon rédige une *Histoire naturelle* qui rassemble tout ce que l'on sait alors sur le monde animal, végétal et minéral. Enfin, des expéditions scientifiques sont envoyées vers des terres inconnues.
Bougainville, accompagné de nombreux savants, parcourt le Pacifique de 1766 à 1769. Louis XVI, passionné par la géographie, organise une expédition pour reconnaître le Pacifique nord et la confie à La Pérouse. Partis de Brest en 1785 sur deux navires, les scientifiques qui accompagnent ce dernier font de nombreuses observations au large des Philippines et de la Corée. Mais les deux bateaux et leurs équipages disparaissent à tout jamais en 1788. □

La montgolfière ou la conquête des airs

En 1783, deux frères d'Annonay (Ardèche), les Montgolfier, font s'élever dans les airs un ballon de soie rempli d'air chaud. Leur invention est bientôt présentée au roi.

Le 21 novembre 1783, le chimiste Pilâtre de Rozier et le marquis d'Arlandes survolent Paris à bord d'une montgolfière (ci-dessus). Pour la première fois, des hommes voyagent dans l'atmosphère. Pilâtre et d'Arlandes parcourent, lors de ce vol, environ 8 km.

le temps des

révolutions

La révolution de 1789 met fin à la monarchie absolue. En 1792, la république est proclamée. Après la Terreur et le Directoire, la Révolution s'achève en 1799, avec l'arrivée au pouvoir de Napoléon Bonaparte.

La Révolution française

1789 5 mai : ouverture des États généraux à Versailles.
14 juillet : prise de la Bastille.
Août : Déclaration des droits de l'homme.
1790 14 juillet : fête de la Fédération.
1791 Juin : Louis XVI, en fuite, est arrêté à Varennes.
Septembre : l'Assemblée législative succède à la Constituante.
1792 10 août : prise des Tuileries.
20 septembre : victoire de Valmy.
22 septembre : proclamation de la république.
1793 21 janvier : Louis XVI est guillotiné.
Mars : soulèvement de la Vendée.
Septembre : instauration de la Terreur.
1794 Juillet : Robespierre et ses partisans sont guillotinés ; la Convention met fin à la Terreur.
1795 Octobre : le Directoire succède à la Convention.
1797 Octobre : Bonaparte signe la paix de Campoformio avec l'Autriche.
1798 Bonaparte reçoit le commandement de l'expédition d'Égypte.
1799 9 novembre : coup d'État de Bonaparte, qui met fin au Directoire.

En 1788, le royaume de France connaît de graves difficultés. Le roi Louis XVI décide alors de convoquer les États généraux. Cette assemblée est composée de représentants des trois ordres formant la société : le clergé (les prêtres), la noblesse et le tiers état (tous les autres Français, soit 96 % de la population).
Les Français attendent beaucoup de cet événement. Dans tout le royaume, ils élisent des députés et expriment leurs désirs de réformes dans des registres appelés « cahiers de doléances ». Lorsque les États généraux s'ouvrent à Versailles, le 5 mai 1789, chacun espère de profonds changements. Or, à Versailles, on ne parle que de problèmes d'argent. La déception est grande.

De la révolte à la révolution

Le 17 juin 1789, considérant qu'ils représentent la grande majorité du pays, les députés du tiers état se proclament « Assemblée nationale ». Le 20 juin, réunis dans une salle de jeu de paume (l'ancêtre du tennis), ils jurent (c'est le « serment du Jeu de paume ») de ne pas se séparer avant d'avoir donné à la France une constitution, c'est-à-dire un texte organisant les relations entre ceux qui gouvernent et ceux qui sont gouvernés. Quelques semaines plus tard, les représentants de la noblesse et du clergé rejoignent ceux du tiers état. Les États généraux deviennent alors « Assemblée nationale constituante ». Cette assemblée doit mettre au point la constitution qui mettra fin à la monarchie absolue.

14 juillet 1789 : la prise de la Bastille.

le serment du Jeu de paume (20 juin 1789)

14 juillet 1790 : la fête de la Fédération.

Louis XVI, cependant, s'oppose aux députés. À Paris, la révolte gronde. Le 14 juillet, le peuple prend d'assaut la Bastille. Symbole du pouvoir absolu du roi, cette forteresse, utilisée comme prison, est aussitôt détruite. La révolte est devenue révolution.

L'Assemblée nationale constituante

Les députés de l'Assemblée nationale constituante travaillent pendant de longs mois. Ils mettent en œuvre de nombreuses réformes. Les privilèges des nobles et du clergé – comme celui, par exemple, de ne pas payer d'impôts – sont abolis (nuit du 4 août 1789). La Déclaration des droits de l'homme et du citoyen, qui affirme que les hommes naissent et demeurent libres et égaux en droits, est proclamée (26 août 1789). Le royaume est divisé en départements. La justice et l'administration sont complètement réorganisées. Les biens de l'Église sont confisqués et deviennent biens nationaux.
En octobre 1789, le peuple marche sur Versailles et ramène le roi, la reine Marie-Antoinette et leurs enfants à Paris. Louis XVI semble alors accepter les réformes indispensables. Le 14 juillet 1790, la fête de la Fédération est organisée à Paris, au Champ-de-Mars, pour consacrer l'unité de la nation et des Français. À cette occasion, le roi jure de respecter la future constitution. Mais, en juin 1791, la famille royale tente de s'enfuir hors de France. Arrêtée à Varennes, près de la frontière nord-est, elle revient sous bonne escorte au palais des Tuileries.
Dès lors, Louis XVI perd définitivement la confiance des révolutionnaires.

La république est proclamée

En septembre 1791, la Constitution est appliquée. Le roi gouverne avec une assemblée élue (l'Assemblée législative), qui propose et vote les lois. C'est la fin de la monarchie absolue.
Les rois et les empereurs européens, qui craignent de voir l'agitation gagner leur pays, commencent à s'unir contre la France révolutionnaire.
En avril 1792, la France déclare la guerre à l'Autriche, qui reçoit l'appui de la Prusse.
Le 10 août, convaincus que le roi veut les trahir, les Parisiens prennent d'assaut le palais des Tuileries. La famille royale est arrêtée et emprisonnée.
Le 20 septembre 1792, à Valmy, les troupes révolutionnaires remportent leur première victoire contre la Prusse.
Le même jour, la Convention nationale succède à l'Assemblée législative. Le 22 septembre, cette nouvelle assemblée proclame la république. □

Mirabeau (1749-1791) ▲
Honoré Gabriel Riqueti, comte de Mirabeau, est noble mais partisan des réformes. En 1789, c'est pour représenter le tiers état aux États généraux qu'il est élu à Aix-en-Provence. Grand orateur, il joue un rôle important dans l'Assemblée constituante (qui rédige la constitution). Cependant, il est aussi le conseiller du roi et l'ami de la reine Marie-Antoinette. Il meurt subitement en avril 1791.

◄ Qu'est-ce qu'un sans-culotte ?
Le sans-culotte est un homme du peuple – un petit artisan, un commerçant, plus rarement un ouvrier –, qui participe activement à la Révolution. À la différence du noble, qui porte la culotte (sorte de pantalon moulant qui s'arrête au genou), il est vêtu d'un pantalon, d'où son nom.

un comité révolutionnaire sous la Terreur

De la Convention au Directoire

Les guerres de Vendée
François de Charette de La Contrie (ci-dessous) est l'un des officiers nobles, catholiques et royalistes, qui prennent la tête de l'insurrection vendéenne contre le gouvernement révolutionnaire. La révolte éclate en mars 1793 et gagne bientôt tout l'ouest de la France. Les vendéens (ou « chouans ») affrontent les troupes républicaines pendant près de trois ans. Ces guerres très meurtrières ne s'achèvent qu'en 1796. Capturé, Charette est fusillé (29 mars 1796). ▼

Le roi Louis XVI est guillotiné le 21 janvier 1793.

L'Assemblée législative a laissé la place, en septembre 1792, à une autre assemblée élue, la Convention nationale. Celle-ci est dominée par deux grands groupes politiques. Les Girondins, d'une part, doivent leur nom au fait que plusieurs d'entre eux ont été élus en Gironde. Ils estiment que la Révolution est terminée. Les Montagnards, d'autre part, sont appelés ainsi parce qu'ils siègent en haut de l'Assemblée, « sur la montagne ». Ils pensent que des mesures énergiques doivent être prises pour maintenir la république.

La République en danger

Pour nombre de députés de la Convention, la guerre doit permettre d'exporter la république dans les autres pays d'Europe. Après Valmy, les armées révolutionnaires remportent victoire sur victoire, occupant la Savoie, le comté de Nice, la Belgique et la Rhénanie. Dans le même temps, Louis XVI est jugé pour trahison. Condamné à mort, il est guillotiné le 21 janvier 1793. Effrayées par ces conquêtes et par l'exécution du roi, l'Angleterre, la Hollande, l'Autriche, la Prusse et l'Espagne s'unissent contre la France. En réaction, la Convention enrôle 300 000 hommes pour défendre le pays. Cette mesure déclenche le soulèvement de la Vendée (mars 1793). Attaquée de toutes parts, la république apparaît en grand danger. C'est alors que les Montagnards font mettre en accusation les Girondins, qui sont guillotinés.

La Terreur

En septembre 1793, la Convention met la Terreur à l'ordre du jour.
Le Comité de salut public, dominé par Robespierre, a tous les pouvoirs, surveille et dirige tout. Grâce à la loi des suspects, ceux qui sont soupçonnés d'opposition au régime (nobles, prêtres, républicains proches des Girondins...) peuvent être arrêtés à tout moment et condamnés à mort.
En quelques mois, des milliers de « suspects », parmi lesquels la reine Marie-Antoinette, sont guillotinés. La Terreur est aussi marquée par la déchristianisation. Le calendrier révolutionnaire (octobre 1793) en est le symbole. Il ne mesure plus l'écoulement

une rue de Paris à l'époque du Directoire, vers 1798

du temps à partir de la naissance du Christ mais à partir du 22 septembre 1792, premier jour de l'an I de la République.
En 1794, les principaux dangers semblent écartés. Mais Robespierre durcit encore la Terreur. Une coalition finit par se liguer contre lui. Arrêté le 27 juillet 1794, il est guillotiné le lendemain. Aussitôt, la Convention met fin à la Terreur.
Un peu plus d'un an après, une nouvelle Constitution met en place le Directoire.

Le Directoire

Constitué de cinq « directeurs », le Directoire gouverne le pays avec deux assemblées. Le nouveau régime est attaqué par les royalistes, partisans du retour du roi, et par les Jacobins, qui veulent poursuivre la révolution.
À l'extérieur, la guerre se poursuit. Après avoir écrasé une insurrection royaliste à Paris, le jeune général Bonaparte est nommé par le Directoire à la tête d'une armée qui part combattre les Autrichiens en Italie, dont une partie du territoire est encore occupée par ces derniers. Au terme d'une brillante campagne militaire, Bonaparte signe en 1797 la paix de Campoformio avec l'Autriche. En 1798, devenu très populaire, Bonaparte reçoit le commandement de l'expédition d'Égypte. La France, en occupant ce pays, veut couper l'Angleterre de ses positions sur la mer Rouge et en Inde.
En novembre 1799, ayant appris que l'Autriche avait repris la guerre, Bonaparte revient à Paris et renverse le Directoire. On considère que ce coup d'État marque la fin officielle de la Révolution. □

L'arrestation de Robespierre, dans la nuit du 27 au 28 juillet 1794. ▼

Danton (1759-1794) ▲

Avocat en 1789, brillant orateur, Georges Danton est l'une des grandes figures de la Révolution. Après avoir instauré la Terreur, il fait partie des « indulgents » qui en dénoncent les excès. Il est guillotiné le 5 avril 1794.

Robespierre (1758-1794)

Avocat en 1789, Maximilien de Robespierre devient maître de tous les pouvoirs après l'élimination des « indulgents ». Refusant tous les compromis, il est surnommé l'« Incorruptible ». Il est guillotiné le 28 juillet 1794. ▼

Napoléon Bonaparte entreprend dès 1800 de faire de la France un État fort et moderne. Empereur des Français à partir de 1804, il dirige un immense empire. Lorsqu'il abdique, en 1815, cet empire disparaît avec lui.

Le premier Empire

1799 Le Consulat remplace le Directoire. Bonaparte devient Premier consul.
1800 Fondation de la Banque de France.
1801 Signature du Concordat avec le pape. Paix de Lunéville avec l'Autriche.
1802 Paix d'Amiens avec l'Angleterre. Bonaparte devient consul à vie.
1803 Création du franc germinal.
1804 Indépendance d'Haïti (Saint-Domingue). Le Code civil est achevé (avril). Proclamation du premier Empire (mai).
2 décembre : Napoléon Ier est sacré empereur.
1805 Victoire d'Austerlitz contre les Autrichiens et les Russes (2 décembre).
1806 Victoire d'Iéna sur la Prusse. Mise en place du Blocus continental.
1807 Victoires d'Eylau et de Friedland sur la Russie.
1810 Napoléon épouse Marie-Louise d'Autriche.
1812 Retraite de Russie (octobre-décembre).
1814 Première abdication de Napoléon Ier ; Louis XVIII restaure la monarchie.
1815 Retour de Napoléon au pouvoir.
Mars à juin : les Cent-Jours.
18 juin : défaite de Waterloo.
22 juin : seconde abdication ; fin du premier Empire. Retour de Louis XVIII.

Après le coup d'État du 9 novembre 1799 (18 brumaire an VII), le Consulat remplace le Directoire. Ce régime est dirigé par trois consuls, mais le pouvoir réel est détenu par le Premier consul : Napoléon Bonaparte.

Le Consulat

En 1799, Napoléon Bonaparte a pour premier souci de rétablir l'ordre et le calme. Dès 1800, l'administration et la justice sont profondément réformées. Les fonctionnaires et les juges sont désignés par le Premier consul. Des préfets, des sous-préfets et des maires sont nommés à la tête des départements, des arrondissements et des communes. Les premiers lycées sont ouverts (1802) pour former les futurs dirigeants du pays. Pour relancer l'économie, Bonaparte fonde la Banque de France (1800) et crée une monnaie stable, le franc germinal (1803), dont la valeur correspond à un poids fixe d'or (322 mg).

Il met en route de grands chantiers, notamment pour embellir Paris.
La signature du Concordat et la rédaction du Code civil sont deux autres grandes réformes du Consulat.
Signé en 1801 avec le pape Pie VII, le Concordat reconnaît que la religion catholique est celle de la grande majorité des Français. Les prêtres sont payés par l'État. Le chef de l'État nomme les évêques, et le pape leur confie leur mission auprès des fidèles. Grâce à cet accord, la paix religieuse est rétablie. Le Code civil, que l'on appelle aussi « Code Napoléon », rassemble tous les textes de lois qu'il faut respecter en France. Achevé en mars 1804,

Sacré empereur, Napoléon Ier couronne son épouse, Joséphine de Beauharnais. ▼

Napoléon Ier en 1806, à Berlin, entouré de son état-major

le Code reprend des idées de la Révolution, comme l'égalité des citoyens devant la loi ou la liberté individuelle. Mais il repose aussi sur des idées plus traditionnelles. Ainsi, au sein de la famille, l'autorité appartient au père ; la femme et les enfants doivent lui obéir.

L'Empire

Après avoir signé la paix avec l'Autriche (1801) puis avec l'Angleterre (1802), Napoléon Bonaparte, désormais consul à vie, peut désigner son successeur. En mai 1804, il devient Napoléon Ier, empereur des Français. Le premier Empire remplace la première République, proclamée en 1792. Napoléon se fait sacrer par le pape lors d'une cérémonie grandiose qui a lieu à Paris, dans la cathédrale Notre-Dame, le 2 décembre 1804. Joséphine de Beauharnais, que Bonaparte a épousée en 1796, devient impératrice.

Peu à peu, Napoléon se comporte comme un roi. Les membres de sa famille et les hauts responsables civils et militaires forment la cour impériale. Napoléon leur distribue des royaumes dans toute l'Europe au fur et à mesure de ses conquêtes. Il récompense aussi ses officiers victorieux en les faisant barons, comtes, ducs.

Mais l'Empereur n'a toujours pas d'héritier. En 1809, il se sépare de Joséphine, avec qui il ne peut avoir d'enfant, pour épouser Marie-Louise, fille de l'empereur d'Autriche. En 1811, celle-ci lui donne un fils, proclamé « roi de Rome ». L'événement est fêté dans tout l'Empire.

Élève du lycée Napoléon. ►

L'arc de triomphe du Carrousel, à Paris, construit entre 1806 et 1808.

Napoléon Ier, homme d'État

Au fil des années, l'Empereur efface les traces laissées par la Révolution. Ainsi, le calendrier républicain est supprimé en 1806. Napoléon attache une grande importance à la formation des hauts fonctionnaires, des ingénieurs et des officiers de son armée. En 1808, il organise l'enseignement public : la France est divisée en académies et l'École normale supérieure formera les professeurs de lycée.

L'Empereur veut tout diriger, tout contrôler, et supporte très mal la critique. La police, dirigée par Fouché, arrête les opposants. La presse et l'imprimerie sont étroitement surveillées (ou censurées).

Cette politique autoritaire suscite des mécontentements de plus en plus vifs. D'autant plus que les guerres n'ont pas cessé depuis près de quinze ans, causant la mort de centaines de milliers de soldats. □

Toussaint Louverture (1743-1803)

Conduits par Toussaint Louverture (ci-dessous), les esclaves de l'île de Saint-Domingue (l'actuelle Haïti) s'étaient révoltés en 1791 pour obtenir leur libération. En 1794, à Paris, la Convention avait aboli l'esclavage dans toutes les colonies françaises. Toussaint avait alors proclamé son intention d'établir une république noire et était devenu maître de l'île (1801). Pour ramener l'ordre, Napoléon Bonaparte rétablit l'esclavage (1802) et envoie des troupes sur place.

Toussaint Louverture, arrêté, est emprisonné en France, où il meurt en 1803. La révolte se poursuit sans lui. En 1804 est proclamée l'indépendance de l'île, qui prend le nom d'Haïti.

les Français préparent la prise de l'île de Capri, en Italie du Sud

L'Europe napoléonienne

L'aigle impériale ▲

L'aigle impériale (ci-dessus) est le symbole de l'Empire. Elle témoigne de la grandeur militaire de Napoléon pour lequel « la guerre est un art simple et tout d'exécution ». Les victoires napoléoniennes s'appuient sur la Grande Armée, totalement dévouée à l'Empereur. À l'origine constituée seulement de soldats français, elle accueille ensuite de plus en plus d'étrangers mobilisés dans les pays conquis. Cette armée est encadrée par de brillants officiers. Sous le Consulat et l'Empire, les campagnes militaires se succèdent contre les pays européens, qui s'unissent contre la France en plusieurs coalitions. La sixième coalition l'emporte une première fois sur l'Empereur en 1814. La septième entraîne l'ultime défaite de Napoléon à Waterloo (1815).

Grand chef militaire, Napoléon Ier mène pendant quinze ans une guerre presque permanente contre les rois d'Europe. Les victoires de la Grande Armée repoussent sans cesse les frontières de l'Empire français.

Les victoires impériales

La paix signée entre l'Angleterre et la France en 1802 ne dure que quelques mois et, en 1804, la guerre reprend. En octobre 1805, la flotte anglaise anéantit la flotte française au large de Trafalgar. Mais, sur terre, les armées napoléoniennes gardent l'avantage. Le 2 décembre 1805, les Autrichiens et les Russes sont écrasés à Austerlitz ; la paix est bientôt signée avec l'Autriche. La victoire d'Austerlitz est le symbole d'une extraordinaire carrière militaire. En trois ans, l'Empereur triomphe des principales puissances européennes. La Prusse est vaincue à Iéna (1806), la Russie à Eylau et à Friedland (1807). Seule l'Angleterre résiste encore. Pour l'affaiblir, Napoléon décrète en 1806 le Blocus continental, qui interdit tout échange commercial entre l'Europe et les îles Britanniques.

Toutes ces victoires s'appuient sur le génie militaire de Napoléon, qui apporte un soin extrême à l'organisation de l'armée impériale, la Grande Armée. En 1811, Napoléon est à la tête d'un empire qui s'étend sur tout l'ouest du continent européen : il comprend d'une part l'Empire français, organisé

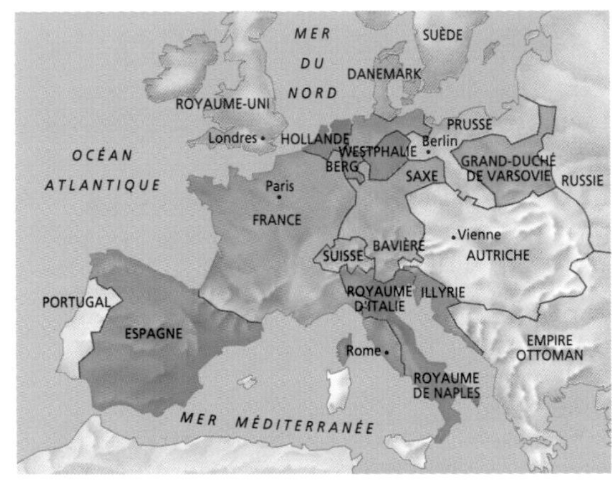

L'Europe de Napoléon en 1810.

- Empire français
- Royaumes confiés à la famille de Napoléon
- Pays sous protection française

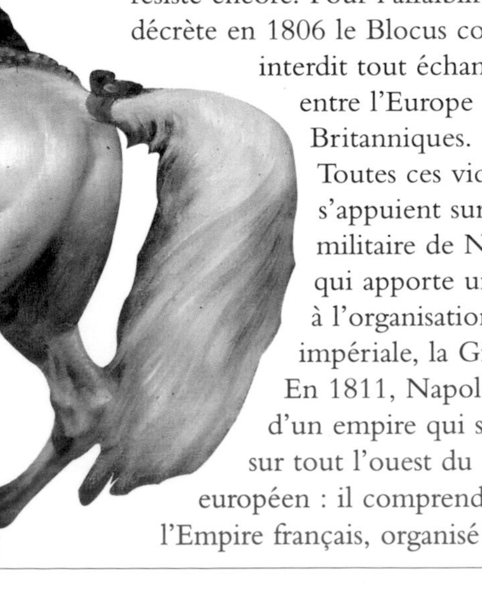

Napoléon à la bataille de Wagram. ▶

1814 : les troupes russes campent sur les Champs-Élysées, à Paris

en 130 départements, et d'autre part les États qui en dépendent et sont gouvernés par Napoléon, par des alliés ou par des membres de sa famille. Toutefois, certains peuples résistent à l'autorité impériale. Les Espagnols, par exemple, se révoltent en 1808 contre les troupes françaises qui occupent leur pays. Une longue guerre commence. Elle ne s'achèvera qu'en 1814, avec la chute de l'Empire.

L'effrondrement et la défaite

En 1812, Napoléon s'engage dans une grande campagne contre la Russie. Il rassemble plus de 600 000 hommes. En septembre, cette armée entre dans Moscou. Mais la population incendie la ville pour que les envahisseurs n'y trouvent plus rien. En octobre, Napoléon ordonne la retraite. C'est un véritable désastre. La neige, le froid et les combats anéantissent la Grande Armée, qui ne compte plus que 75 000 hommes au retour.
Les rois européens saisissent l'occasion pour s'unir contre l'Empereur : en 1813, la Prusse lui déclare la guerre ; l'Autriche en fait bientôt autant. À l'automne, Napoléon est battu à Leipzig. En 1814, la France est envahie ; Paris tombe le 31 mars. Le 6 avril, Napoléon abdique ; il quitte la France et gagne un petit royaume que ses vainqueurs lui ont donné : l'île d'Elbe (Italie).
La monarchie est rétablie en France (c'est la première Restauration) ; Louis XVIII, un frère de Louis XVI, monte sur le trône. Par le traité de Paris, la France retrouve ses frontières de 1792.

Les Cent-Jours

Très vite, Napoléon prépare son retour. Le 1er mars 1815, il débarque à Golfe-Juan, en Provence, et remonte vers Paris, acclamé par la foule. Le 20 mars, il occupe le palais des Tuileries, déserté par Louis XVIII qui s'est enfui vers la Belgique. Ce second règne va durer cent jours.
Aussitôt, les Européens se liguent contre Napoléon. La guerre reprend. Le 18 juin 1815, l'Empereur est vaincu à Waterloo, en Belgique, par les Anglais et les Prussiens. Il abdique définitivement. Les Anglais le déportent à Sainte-Hélène, une île perdue dans l'Atlantique sud, où il meurt en 1821. Après Waterloo, par le second traité de Paris, la France perd encore certains territoires et elle est placée sous la surveillance étroite des vainqueurs. Revenu à Paris, le roi Louis XVIII retrouve son trône. □

La bataille d'Austerlitz

Le 2 décembre 1805, à la bataille d'Austerlitz contre les Autrichiens et les Russes, Napoléon (à cheval, au centre) fait une démonstration éclatante de son génie militaire. Faisant semblant de battre en retraite, il oblige ses adversaires à abandonner leur position dominante, prend leur place, les attaque de flanc et les anéantit. Plus de 150 000 hommes étaient engagés dans le combat. ▼

Revenus au pouvoir en 1815, les rois doivent faire face à deux révolutions, qui finissent par rétablir la république. Dans le même temps, les débuts de la révolution industrielle transforment les conditions de vie des Français.

Du retour des rois à la

1815 Après la seconde abdication de Napoléon Ier, Louis XVIII monte de nouveau sur le trône (juin).
1824 Charles X succède à Louis XVIII.
1830 5 juillet : prise d'Alger par les troupes françaises.
27-29 juillet : révolution de juillet (les « Trois Glorieuses ») ; Louis-Philippe Ier succède à Charles X (monarchie de Juillet).
1831 Révolte des ouvriers de la soie (canuts) à Lyon.
1837 Inauguration du Paris-Saint-Germain, première ligne de chemin de fer française destinée aux voyageurs.
1847 François Guizot devient président du Conseil.
1848 **février** : la révolution chasse le roi Louis-Philippe ; la IIe République est instaurée.
Juin : insurrection ouvrière réprimée par l'armée.
Décembre : Louis Napoléon Bonaparte est élu président de la République.
1851 Coup d'État de Louis Napoléon Bonaparte (2 décembre).

Rétablie en 1814, suspendue pendant les Cent-Jours, la monarchie fait son retour en juin 1815 : c'est la Restauration. Le roi, cependant, n'exerce plus un pouvoir absolu comme au temps de Louis XVI.
Une Constitution – que l'on appelle la Charte – limite le pouvoir du souverain, qui doit gouverner avec deux assemblées, la Chambre des députés et la Chambre des pairs. Les députés sont élus par les Français qui paient une certaine somme d'impôt (on parle de suffrage « censitaire ») ; les pairs héritent de leur charge ou sont nommés à vie par le roi.

Louis XVIII et Charles X

Pendant près de dix ans, Louis XVIII, frère de Louis XVI, tente de concilier les ultraroyalistes, ou « ultras », qui veulent rétablir la monarchie absolue, les partisans de la république et ceux qui regrettent l'Empire. Il meurt en 1824.
Son frère, qui monte sur le trône sous le nom de Charles X, est beaucoup plus intransigeant. En 1829, il nomme des ministres ultraroyalistes très impopulaires. En juillet 1830, il prend des mesures qui suppriment la liberté de la presse et limitent le droit de vote. Comme en juillet 1789, le peuple de Paris se soulève.

Les « Trois Glorieuses » et la monarchie de Juillet

La révolte éclate à Paris le 27 juillet 1830. Des barricades se dressent dans les quartiers populaires. Cette révolution dure trois

Révolution de 1830 : combats devant la porte Saint-Denis, à Paris. ►

en 1848, les peuples d'Europe rêvent d'indépendance et de liberté

IIe République

journées, appelées les « Trois Glorieuses », et force le roi Charles X à s'enfuir et à abdiquer.
Les députés, cependant, ne sont pas prêts à accepter la république que réclame le peuple. Ils choisissent un nouveau roi, Louis-Philippe d'Orléans, cousin de Charles X, qui devient roi des Français sous le nom de Louis-Philippe Ier. La Constitution est légèrement modifiée. Un nouveau régime, auquel on a donné le nom de « monarchie de Juillet », succède donc à la Restauration. Louis-Philippe Ier, proche des riches bourgeois, accepte la monarchie constitutionnelle, à condition toutefois de conserver des pouvoirs importants. Très vite, il se heurte à l'opposition des ultraroyalistes, des républicains ou de royalistes modérés comme Adolphe Thiers, pour lesquels « le roi règne mais ne gouverne pas ».
Louis-Philippe s'appuie notamment sur François Guizot, un homme très conservateur. Ministre des Affaires étrangères à partir de 1840 puis président du Conseil (chef du gouvernement) en 1847, Guizot doit affronter une opposition républicaine de plus en plus organisée.

La révolution de 1848 et la IIe République

Guizot traque les opposants. En février 1848, quand il interdit une fois encore une réunion de républicains, le peuple de Paris se soulève. Comme en 1830, la révolution entraîne l'abdication du roi. Louis-Philippe Ier se réfugie en Angleterre. Le 25 février, la IIe République est instaurée.
La France n'est pas le seul pays à connaître de tels troubles politiques. En 1848, des révolutions se produisent dans presque toute l'Europe.
À Paris, un gouvernement provisoire, où sont représentés les gens du peuple, est aussitôt formé. Dans les semaines qui suivent, le suffrage universel est instauré (tous les hommes adultes peuvent voter), l'esclavage est aboli dans les colonies. Des élections ont lieu, mais les conservateurs l'emportent et les ouvriers sont écartés du pouvoir.
En mai et juin 1848, le peuple de Paris se révolte de nouveau. Le gouvernement réprime violemment cette rébellion. L'armée intervient. Des milliers de gens sont tués.
Le 10 décembre 1848 a lieu la première élection d'un président de la République au suffrage universel. C'est Louis Napoléon Bonaparte qui l'emporte. Neveu de Napoléon Ier, Louis Napoléon souhaite rétablir l'Empire. Le 2 décembre 1851, il organise un coup d'État qui lui assure tous les pouvoirs. Un an plus tard, le second Empire sera proclamé. □

Photographie de Louis-Philippe Ier vers 1840. ▼

La conquête de l'Algérie ▲

La conquête de l'Algérie, qui fait alors partie de l'Empire turc, commence sous Charles X. Alger est prise en juillet 1830, juste avant la révolution de juillet. Louis-Philippe Ier poursuit la conquête de ce pays. À partir de 1832, le chef arabe Abd el-Kader engage la résistance et entre en guerre contre les Français. Après la prise de sa smala (ville de tentes) par le duc d'Aumale – l'un des fils de Louis-Philippe – en mai 1843 (ci-dessus) et la défaite de ses alliés marocains (1844), Abd el-Kader se rend en 1847. Dès lors, tout le pays est occupé, à l'exception de la Kabylie (région montagneuse du nord de l'Algérie). Cette dernière ne sera conquise que sous le second Empire (1857). Dans le même temps, les premiers colons s'installent : ils sont 100 000 vers 1850 et plus de 800 000 en 1914.

un bateau à vapeur sur la Seine, l'*Élise*, en 1816

Les débuts de la révolution industrielle

La condition ouvrière

Les usines métallurgiques Schneider du Creusot (ci-dessous) sont, vers 1850, la plus grosse entreprise française. Dans ces gigantesques usines, les conditions d'existence des ouvriers sont très éprouvantes. On y travaille douze, parfois même quatorze ou quinze heures par jour. Les machines sont bruyantes et dangereuses ; rien ne protège les ouvriers, les accidents sont donc nombreux. Les salaires sont très bas : 1 ou 2 francs par jour, alors qu'un kilo de pain coûte 30 centimes. Les enfants doivent travailler pour compléter les revenus de la famille. ▼

Pendant la première moitié du XIXe s., la France connaît un extraordinaire développement. Elle entre, à la suite de l'Angleterre, dans la révolution industrielle.

Le siècle de la vapeur

Mise au point en Angleterre à la fin du XVIIIe s., la machine à vapeur joue alors un grand rôle. Comme son nom l'indique, elle produit de la vapeur, dont la force, quand elle est bien canalisée, peut actionner toutes sortes de mécanismes. Pour fonctionner, cette machine a besoin d'eau et d'un combustible pour chauffer cette dernière et la transformer en vapeur. La production de charbon devient donc essentielle. Les mines de charbon françaises sont exploitées dans le nord et le nord-est du pays ainsi que dans le Massif central. Les machines à vapeur se répandent rapidement. En France, les premières grandes usines apparaissent à partir des années 1830. Grâce à des machines de plus en plus perfectionnées, elles permettent de produire, en quantités de plus en plus importantes, des tissus, du fer, de l'acier…
La machine à vapeur modifie aussi les transports, car c'est elle qui propulse les locomotives ; les chemins de fer vont bientôt remplacer les diligences. En France, la première ligne de voyageurs est inaugurée entre Paris et Saint-Germain en 1837. Très vite, la construction d'un vaste réseau s'engage. Et déjà des bateaux à vapeur naviguent sur les fleuves puis sur les mers.

Une société qui se transforme

La révolution industrielle entraîne une profonde transformation de la société. Une partie de la population des campagnes, notamment la plus pauvre, va chercher du travail dans les usines.

la ligne de chemin de fer de Paris à Versailles a été ouverte en 1839

Les villes et leurs faubourgs s'étendent. Cependant, tout le monde ne profite pas de la même manière de l'essor de l'industrie. La société se divise, et on commence à parler de « classes sociales ». À une extrémité de l'échelle, en haut, il y a ceux qui possèdent les richesses – les financiers, les négociants, les industriels ; ils forment la classe des grands bourgeois d'affaires. Sous Louis-Philippe, ils conquièrent peu à peu le pouvoir politique. À l'autre extrémité de l'échelle, en bas, il y a ceux qui ne possèdent que la force de leurs bras et qui travaillent dans les usines ; ils constituent la classe ouvrière. Leurs conditions de vie sont souvent très dures. Les ouvriers ont des salaires très bas, n'ont pas de vacances, ne sont pas payés quand ils sont malades... En outre, ils n'ont pas le droit de faire grève ni de se regrouper en syndicats, ou associations, pour défendre leurs intérêts. Dans ces conditions, les ouvriers n'ont qu'un moyen de se faire entendre : se soulever. Ainsi, en 1831, à Lyon, les canuts (ouvriers qui tissent la soie) se révoltent contre la baisse de leurs salaires.

De nouvelles idées politiques

Dès le début du XIXe s., en France et en Grande-Bretagne, des hommes réfléchissent à cette situation et proposent diverses solutions pour rendre la société plus juste. Ils font naître divers courants politiques que l'on réunit sous le terme de socialisme. Le Britannique Robert Owen (1771-1858), par exemple, pense que l'État doit intervenir pour obliger les entreprises à accepter des lois protégeant les ouvriers. Puis il imagine des « villages de coopération » où les biens seraient mis en commun.
En France, Charles Fourier (1772-1837) reprend certaines de ces idées ; lui aussi songe à des coopératives.
Toutefois, l'un des principaux penseurs politiques de cette époque est allemand. Il s'appelle Karl Marx (1818-1883). En 1848, il publie le *Manifeste du parti communiste*. Les idées de Marx auront une grande influence en France et dans le monde. □

Les premières gares ▲

À partir du milieu du XIXe s., de plus en plus de trains circulent. Pour les accueillir, de grandes gares sont construites dans les villes. Ci-dessus, la gare de l'Est, à Paris.

Les ouvriers et la politique

Certains ouvriers, surtout à Paris, s'intéressent à la politique (ci-dessous, un ouvrier parisien en 1848). Ils sont républicains et réclament le droit de s'unir en syndicats, de faire grève... ▼

Le second Empire est proclamé le 2 décembre 1852. Napoléon III mène d'abord une politique très autoritaire, puis il se rapproche des républicains. À cette époque, la France devient une grande puissance industrielle.

Le second Empire

1852 Proclamation du second Empire (2 décembre) ; Louis Napoléon Bonaparte devient empereur sous le nom de Napoléon III.
1854 Début de la guerre de Crimée (jusqu'en 1856). Le baron Haussmann devient préfet de la Seine et engage de grands travaux dans Paris.
1859 Victoires des troupes franco-italiennes contre les Autrichiens à Magenta et à Solferino.
1860 Nice et la Savoie votent leur rattachement à la France.
1862 Intervention française au Mexique (jusqu'en 1867).
1869 Inauguration du canal de Suez en Égypte.
1870 Les Français approuvent la politique de Napoléon III (vote du mois de mai).
juillet : la France déclare la guerre à la Prusse.
1er septembre : défaite française à Sedan.
4 septembre : proclamation de la république à Paris.

Le 2 décembre 1852 – jour anniversaire du sacre de Napoléon Ier et de la victoire d'Austerlitz –, un an après le coup d'État qui lui a permis de prendre le pouvoir, Louis Napoléon Bonaparte installe le second Empire. Il est proclamé empereur des Français sous le nom de Napoléon III.

Sur les traces de Napoléon Ier

Napoléon III gouverne d'abord comme son oncle, Napoléon Ier. Autoritaire, il n'admet pas les critiques. De nombreux républicains sont arrêtés ou contraints de s'exiler, comme l'écrivain Victor Hugo. La presse est censurée (étroitement surveillée).
À partir de 1860, cependant, l'empereur cherche à obtenir le soutien des ouvriers : il leur accorde le droit de faire grève (1864). Un député de l'opposition, Émile Ollivier, se rapproche alors de Napoléon III et lui apporte l'appui de certains républicains. Les écoles primaires laïques (les écoles d'État, non religieuses) se développent. Les députés obtiennent de nouveaux pouvoirs, dont celui de proposer des lois. En mai 1870, les Français approuvent cette politique lors d'un vote.

Le développement économique

De 1852 à 1870, la révolution industrielle se poursuit et s'accélère. La France entre véritablement dans l'ère de la grande industrie. Napoléon III modernise l'économie du pays. Il encourage l'agriculture, le commerce et l'industrie. De grandes banques, comme la Société générale ou le Crédit Lyonnais, sont créées. Pour faciliter les échanges, on construit des routes, des canaux, un réseau de chemin de fer qui rayonne à travers la France depuis

Un grand dîner sous le second Empire. ▼

Exposition universelle de 1855 : l'entrée de la salle des machines

Une charge de la cavalerie française pendant la guerre de 1870.

Paris. Des prouesses techniques sont réalisées, comme le percement du canal de Suez, en Égypte, qui est inauguré en 1869.
La population des villes ne cesse d'augmenter. À Paris, le préfet de la Seine, le baron Haussmann, conduit de très importants travaux. En près de vingt ans, la capitale se transforme : larges boulevards, parcs, gares, bâtiments publics en font une ville moderne. Le premier grand magasin est ouvert dans la capitale en 1852. Des expositions universelles sont organisées pour mettre en valeur les produits et les réalisations de tous les pays. Deux d'entre elles se tiennent à Paris sous le second Empire, en 1855 et en 1867.

La politique internationale

Sous le second Empire, la France prend part à de nombreuses guerres. En 1854, Napoléon III s'engage dans la guerre de Crimée, qui se déroule autour de la mer Noire, à la frontière de l'Europe et de l'Asie.
Les Français soutiennent ensuite les Italiens, en lutte contre les Autrichiens. Ceux-ci dominent une partie de l'Italie, qui est encore divisée entre plusieurs États (voir *l'Histoire du monde*). En 1859, les troupes franco-italiennes remportent les victoires de Magenta et de Solferino. En 1861, l'Italie devient un royaume indépendant. Entre-temps, en 1860, la Savoie et Nice, qui appartenaient jusqu'alors au royaume du Piémont, sont devenues françaises. Savoyards et Niçois ont massivement voté en faveur de ce rattachement.
En 1862, Napoléon III envoie des soldats au Mexique pour contraindre cette nation, indépendante depuis 1821, à payer ses dettes. Les Français occupent le pays en 1864 et soutiennent la création d'un empire confié à Maximilien, frère de l'empereur d'Autriche. Mais les Mexicains se soulèvent et les Français se retirent en 1867, abandonnant le nouvel empereur, qui est aussitôt fusillé.

Le désastre de 1870

En 1870, Bismarck, ministre du roi Guillaume Ier de Prusse, tend un piège à Napoléon III. Il fait circuler une fausse nouvelle, que l'empereur juge injurieuse. Imprudemment, ce dernier déclare la guerre à la Prusse. C'est exactement ce que souhaitait Bismarck : en faisant la guerre à la France, il espère en effet rassembler autour de la Prusse les différents États allemands et réaliser ainsi l'unité du pays (voir *l'Histoire du monde*). L'armée française est écrasée à Sedan le 1er septembre 1870. Napoléon III est fait prisonnier. À l'annonce de ce désastre, la république est proclamée à Paris le 4 septembre par Léon Gambetta. □

Napoléon III (1808-1873)

Fils de Louis Bonaparte (l'un des frères de Napoléon Ier) et d'Hortense de Beauharnais, Louis Napoléon Bonaparte a dû quitter la France après la chute du premier Empire, en 1815. Il prend le nom de Napoléon III en mémoire du fils de Napoléon Ier (voir p. 57), qui est mort en 1832 et qui aurait dû être Napoléon II. En 1853, Napoléon III épouse une noble espagnole, Eugénie de Montijo. Après la défaite de Sedan, il est prisonnier en Allemagne, puis gagne l'Angleterre, où il meurt en 1873. ▼

La IIIe République est proclamée à Paris en 1870. Peu à peu, elle est acceptée par la majorité des Français. À la veille de la Première Guerre mondiale, la France est une grande puissance économique, militaire et coloniale.

La IIIe République se

1871
Janvier : capitulation de Paris. Armistice entre la France et l'Allemagne.
Mars à mai : insurrection de la Commune de Paris.
Mai : l'Allemagne annexe l'Alsace et une partie de la Lorraine.
1873 Le royaliste Mac-Mahon devient président de la République.
1879 Le républicain Jules Grévy est élu président de la République.
1880-1882 Lois Ferry instaurant l'enseignement primaire gratuit, laïc et obligatoire.
1881 Loi sur la liberté de la presse. La Tunisie devient protectorat français.
1883 L'Annam, le Tonkin et Madagascar deviennent protectorats français.
1894 Début de l'affaire Dreyfus.
1895 Première projection du cinématographe des frères Lumière.
1901 Création du Parti républicain radical et radical-socialiste.
1905 Fondation du Parti socialiste (SFIO). Loi de séparation des Églises et de l'État.
1906 Dreyfus est innocenté.
1909 Louis Blériot traverse la Manche en avion.
1912 Le Maroc devient protectorat français.
1914 Assassinat de Jean Jaurès (31 juillet).

L'Assemblée nationale en 1877. Elle siège alors à Versailles.

Après la défaite de Sedan (1er septembre 1870), un gouvernement provisoire poursuit la guerre. Assiégée depuis septembre, Paris se rend le 28 janvier 1871. Le même jour, l'armistice est signé à Versailles.

La République aux républicains

Après la signature de l'armistice, des élections ont lieu en France. L'Assemblée nationale, dont les députés sont en majorité royalistes, confie le pouvoir à Adolphe Thiers. Celui-ci réprime très violemment l'insurrection de la Commune.
Dans le même temps, il conclut le traité de Francfort (10 mai 1871) avec l'Allemagne, à qui la France doit céder l'Alsace et une partie de la Lorraine.
Thiers quitte le pouvoir en mai 1873. Un royaliste, le maréchal Mac-Mahon, le remplace. Il prend cependant le titre de président de la République. En 1876, de nouvelles élections ont lieu : cette fois, les députés sont en grande majorité des républicains. En 1879, enfin, un républicain, Jules Grévy, remplace Mac-Mahon à la présidence de la République.

La liberté et l'école pour tous

Dès leur arrivée au pouvoir, les républicains prennent des mesures symboliques : les assemblées quittent Versailles pour Paris, le 14 Juillet devient fête nationale et *la Marseillaise* devient l'hymne national.
Dans les années 1880, les députés votent des lois qui accordent notamment davantage de libertés : liberté de la presse, de réunion et d'association (syndicats). L'école primaire laïque, gratuite et obligatoire est instituée : tous les enfants de 6 à 13 ans doivent aller en classe (lois de Jules Ferry de 1880 et 1882). En ville et dans les campagnes, les instituteurs répandent l'idéal républicain de liberté, d'égalité et de fraternité.
Dans les années 1890, une crise grave secoue le pays. En 1894, un capitaine, Alfred Dreyfus, est accusé d'espionnage au profit de l'Allemagne. Cet officier français de confession israélite et d'origine alsacienne crie son innocence. Il est pourtant condamné à la déportation à vie en Guyane.
Des voix s'élèvent pour le défendre ; d'autres, pour l'accabler. En 1898, l'écrivain Émile Zola publie dans le journal *l'Aurore*

des ouvriers écoutent un délégué syndical lors d'une grève

met en place

une lettre ouverte au président de la République : intitulée *J'accuse*, elle réclame la révision du procès. Condamné une seconde fois, Dreyfus sera finalement innocenté et réintégré dans l'armée en 1906. Mais cette affaire laisse des traces profondes. Elle a coupé la France en deux camps : d'un côté, les dreyfusards (partisans de Dreyfus), républicains, défenseurs des droits de l'homme ; de l'autre, les antidreyfusards, antirépublicains pour beaucoup d'entre eux, souvent antisémites (ceux qui sont systématiquement hostiles à l'égard des Juifs).

Radicaux et socialistes

Dans les premières années du XXe s. se créent deux grands partis politiques. Le « Parti républicain radical et radical-socialiste » est formé en 1901 ; ses membres, les radicaux, dominent la vie politique jusqu'à la guerre de 1914. Les historiens appellent d'ailleurs cette période « la république radicale ». Les socialistes, qui étaient jusqu'alors divisés en plusieurs tendances, s'unissent en 1905. Ils créent le « Parti socialiste », ou SFIO (Section française de l'Internationale ouvrière), dont Jean Jaurès, fondateur du journal *l'Humanité*, prend la tête. Soutenus par les socialistes, les radicaux font voter des lois importantes, notamment celle de la séparation des Églises et de l'État (1905). La République laisse toute liberté à chacun de pratiquer sa foi, à condition de ne pas enfreindre la loi, mais elle ne soutient aucun culte. Georges Clemenceau, chef du gouvernement de 1906 à 1909, s'éloigne des socialistes. Il freine les réformes et doit faire face à de violents mouvements d'ouvriers et d'agriculteurs. À la veille de la Première Guerre mondiale, les Français sont dans leur grande majorité fiers de leur république. Ils sont prêts à se battre pour la défendre. □

La Commune de Paris ▲

Épuisé par un long siège, déçu par la défaite et le gouvernement provisoire, le peuple de Paris se soulève le 18 mars 1871. La Commune de Paris (un gouvernement révolutionnaire) est proclamée. Paris se barricade (ci-dessus). Du 21 au 28 mai (la « semaine sanglante »), l'armée écrase la Commune. Des milliers de communards sont fusillés ou déportés.

Un instituteur et ses élèves vers 1905. ▼

le métro parisien en 1909, sur la ligne 2

La France de la Belle Époque

La bicyclette ▲

Les physiciens Pierre et Marie Curie, découvreurs du radium en 1898, se déplacent avec un moyen de transport qui devient vite très populaire : la bicyclette !

La tour Eiffel

Édifiée à Paris pour l'Exposition universelle de 1889 par l'ingénieur français Gustave Eiffel, la tour Eiffel, haute de 300 m, est construite en à peine plus de 2 ans. ►

Au début du XXe s., la France domine un vaste empire qui fait d'elle la deuxième puissance coloniale du monde après la Grande-Bretagne. Les progrès scientifiques et techniques, qui se sont accélérés sous la IIIe République, apportent un confort jusqu'alors inconnu. C'est la « Belle Époque ».

Un grand empire colonial

Depuis la prise d'Alger, en 1830, la France poursuit une politique de conquêtes coloniales tout au long du XIXe s. Sous la IIIe République, son empire au-delà des mers ne cesse de s'étendre en Afrique et en Asie. Il rassemble alors des colonies proprement dites, c'est-à-dire des territoires conquis et considérés comme appartenant à la France, et des protectorats, des pays placés sous l'autorité du gouvernement français. En Afrique du Nord, la France a établi son autorité coloniale sur l'Algérie, et son protectorat sur la Tunisie (1881) et le Maroc (1912). En Afrique noire, elle a colonisé Madagascar (1885), le Congo français (1891), ainsi que plusieurs pays regroupés en deux vastes ensembles, l'Afrique-Occidentale française (ou A-OF – Sénégal, Mauritanie, Soudan, Haute-Volta, Guinée française, Niger, Côte d'Ivoire, Dahomey) et l'Afrique-Équatoriale française (ou A-EF – Gabon, Moyen-Congo, Oubangui-Chari, Tchad). En Asie, les Français se sont établis en Cochinchine dans les années 1860. Le Cambodge (1863), puis l'Annam, le Tonkin (1885) et le Laos (1893-1904) sont devenus des protectorats. Ils forment l'Indochine française. La France est aussi présente dans le Pacifique (en Polynésie, en Nouvelle-Calédonie), en Amérique (Martinique et Guadeloupe, Guyane, Saint-Pierre et Miquelon), dans l'océan Indien (la Réunion, les Comores...).

le service du courrier chez Manufrance, une grande entreprise de Saint-Étienne

Des découvertes scientifiques et techniques

Les découvertes scientifiques et techniques transforment la vie quotidienne des Français. De nouvelles sources d'énergie, comme le gaz et le pétrole, sont de plus en plus utilisées. L'électricité fait son apparition dans les maisons, où s'allument les premières ampoules électriques. Des inventions, tels le téléphone et la radio, vont bientôt révolutionner les communications.
La photographie, inventée dans les années 1830 par les Français Nicéphore Niepce et Louis Daguerre, est très répandue dans les années 1900. Le cinéma est mis au point par les frères Louis et Auguste Lumière qui, en 1895, organisent à Paris la première séance de cinématographe.
La médecine devient une véritable science. Louis Pasteur découvre les microbes et met au point le premier vaccin contre la rage (1885). En physique, les travaux de Pierre et Marie Curie sur le radium (1898) et la radioactivité ont un immense retentissement.

Sur les routes et dans les airs

Les moyens de transport se modernisent. Le métro, apparu à Londres, en Angleterre, est inauguré à Paris en 1900. Les premières automobiles à essence circulent sur les routes (il y a déjà des automobiles Peugeot et Renault).
En 1890, le Français Clément Ader parcourt quelques dizaines de mètres à bord d'une machine volante plus lourde que l'air qu'il baptise « avion » ; moins de 20 ans plus tard, en 1909, un autre Français, Louis Blériot, traverse la Manche en avion.

Problèmes sociaux et rivalités entre pays

Tous ces progrès, ces découvertes, ces nouveautés contribuent à améliorer la vie des hommes. On parle d'une « Belle Époque ». Mais pour de nombreux Français, surtout pour les petits paysans et les ouvriers, la vie reste difficile. Pour défendre leurs intérêts, obtenir de meilleures conditions d'existence, les ouvriers ne cessent de se battre. En 1884, ils obtiennent le droit de se regrouper en syndicats. En 1890, le 1er mai devient une journée internationale de lutte pour la journée de travail de 8 heures. En outre, les années 1900 sont aussi celles qui voient s'accroître les risques de guerre. Les pays européens connaissent de grandes tensions : ils s'opposent pour la possession de colonies, développent leur armement. Entre la France et l'Allemagne, notamment, les crises sont fréquentes. □

Une automobile Peugeot en 1899. ▼

La colonisation ▲

Pour les hommes du XIXe s., la colonisation a des buts politiques et économiques. Mais ils souhaitent aussi apporter la culture européenne aux autres populations du monde. La religion joue également un grand rôle et nombre de prêtres (les missionnaires) partent dans les colonies pour convertir les populations au christianisme. Les découvertes et conquêtes des territoires sont, elles, plutôt accomplies par des hommes animés par le goût de l'aventure : des militaires (ci-dessus, des soldats français en Algérie, dans le Sud oranais), des marchands ou des explorateurs. Parmi ceux-ci, le Français d'origine italienne Pierre Savorgnan de Brazza explore le sud du Congo dans les années 1870-1880, puis il organise le Congo français.

Une boucle dans les airs

Pour la première fois en Europe, cet avion achève une boucle de 1 km dans les airs. C'est ce que l'on appelle un vol en circuit fermé, donc un vol où l'avion est capable de virer et de revenir à son point de départ. Le drapeau est là, les chapeaux se lèvent. Cet exploit a été photographié le 13 janvier 1908, à Issy-les-Moulineaux, près de Paris. Le pilote s'appelle Henri Farman et son appareil a été construit par les frères Voisin.

Le cinéma, mis au point quelques années plus tôt par les frères Lumière (ci-dessus, l'affiche de *l'Arroseur arrosé*, l'un de leurs premiers films), et la photographie vont immortaliser les exploits des conquérants de l'air.

la France du

CENTRE
de QUARTIER
9e Arr.
LIBERATION
56

E. LECLERC
SERVICE MUNICIPAL
DE LA JEUNESSE

XXe siècle

La Première Guerre mondiale éclate en août 1914. Elle oppose la France, la Russie, la Grande-Bretagne et leurs alliés à l'Allemagne, à l'Autriche-Hongrie et à leurs alliés. Elle dure plus de quatre ans et fait des millions de morts.

La Première Guerre

1914 28 juin : l'archiduc François-Ferdinand d'Autriche est assassiné à Sarajevo.
28 juillet : l'Autriche déclare la guerre à la Serbie.
Août : l'Allemagne déclare la guerre à la Russie (le 1er) et à la France (le 3) ; elle envahit la Belgique (le 4) ; la Grande-Bretagne déclare la guerre à l'Allemagne (le 4).
6-13 septembre : bataille de la Marne.
3 novembre : l'Empire ottoman entre en guerre aux côtés de l'Allemagne.
1915 23 mai : l'Italie entre en guerre contre l'Autriche.
1916 Février-décembre : bataille de Verdun, la plus meurtrière de la guerre.
1917 Avril : les États-Unis entrent en guerre contre l'Allemagne.
Octobre : révolution russe.
Novembre : en France, Georges Clemenceau devient président du Conseil.
Décembre : armistice entre l'Allemagne et la Russie.
1918 Mars à juillet : offensive allemande sur le front ouest.
Juillet à septembre : contre-offensives des Alliés.
11 novembre : signature de l'armistice ; fin de la Première Guerre mondiale.

Depuis des années, les grands pays d'Europe se préparent à la guerre. La France, par exemple, veut récupérer l'Alsace et la Lorraine, qu'elle a perdues après la défaite de 1871 (voir p. 66). Il suffit d'une étincelle pour mettre le feu aux poudres. Celle-ci se produit le 28 juin 1914, lorsque l'archiduc François-Ferdinand, héritier du trône d'Autriche, est assassiné à Sarajevo, en Bosnie, par un nationaliste serbe. L'Autriche-Hongrie réagit en déclarant la guerre à la Serbie (28 juillet). Dans les jours qui suivent, l'Allemagne, la Russie, la France et la Grande-Bretagne entrent à leur tour dans le conflit : c'est le début de la Première Guerre mondiale, qui dure jusqu'en 1918.

Un fantassin français en 1914. ▶

Une guerre mondiale

En 1914, les États européens sont liés par deux systèmes d'alliances. D'un côté, l'Allemagne, l'Autriche-Hongrie et l'Italie ont formé la Triple-Alliance, ou Triplice (1882) ; de l'autre, la France, la Grande-Bretagne et la Russie ont constitué la Triple-Entente (1907). Ces États entrent dans la guerre les uns après les autres au début d'août 1914, à l'exception de l'Italie. D'abord neutre, ce pays quitte la Triplice et rejoint la Triple-Entente en 1915. Puis le conflit s'étend, notamment à l'Empire ottoman (la Turquie) et aux États-Unis d'Amérique. C'est la première fois qu'autant de forces et de pays participent à une même guerre. Cependant, les principaux champs de bataille se situent en Europe. Les combats se déroulent essentiellement sur un front est, le long de la frontière entre l'Allemagne et la Russie, et sur un front ouest, le long d'une ligne qui traverse le nord-est de la France. De nouvelles armes très meurtrières, comme les gaz asphyxiants, sont utilisées. Les chars d'assaut, les avions et les sous-marins font leur apparition.

La guerre des tranchées

L'Allemagne, alliée de l'Autriche-Hongrie, déclare la guerre à la France, alliée de la Serbie, le 3 août 1914. Le lendemain, l'armée allemande envahit la Belgique, un pays pourtant neutre. Elle attaque ensuite la France par le nord. Les troupes françaises et celles de la Grande-Bretagne, son alliée,

une attaque des soldats français à Verdun (1916)

mondiale

Des soldats sur la route du front.

arrêtent la progression des Allemands vers Paris lors de la bataille de la Marne (6-13 septembre). En novembre, le front ouest se stabilise sur une ligne allant de la mer du Nord à l'Alsace. Les armées s'enterrent alors face à face, dans des tranchées. La guerre de position (ou guerre des tranchées) commence ; elle durera jusqu'en 1917.
Sur le front, les conditions de vie des soldats sont effroyables : le froid, la boue, les rats, les maladies s'ajoutent aux tirs d'artillerie, aux gaz mortels. En 1916, à Verdun, dix mois de combats font des centaines de milliers de victimes sans modifier les positions des deux camps.

La vie des Français

Au début de la guerre, les Français pensent qu'ils vont rapidement vaincre les Allemands. Puis ils se rendent compte que la guerre sera longue. Il faut développer l'industrie de guerre pour fabriquer des armes, assurer la nourriture des civils et des soldats. Les femmes travaillent partout pour remplacer les hommes partis au front.
À partir de 1917, les Français ont l'impression que la guerre ne finira jamais. Des soldats se mutinent (ils refusent de se battre). En novembre 1917, G. Clemenceau devient président du Conseil (chef du gouvernement). Surnommé « le Tigre », il se consacre totalement à l'effort de guerre.

La fin de la guerre

En avril 1917, les États-Unis ont déclaré la guerre à l'Allemagne. Après la révolution d'octobre 1917 (voir *l'Histoire du monde*), la Russie a signé un armistice (arrêt des combats) avec l'Allemagne en décembre. Libérée du front russe, à l'est, l'Allemagne lance alors toutes ses forces sur le front ouest. Mais les armées françaises, britanniques et américaines, sous la conduite du maréchal Foch, résistent puis attaquent à leur tour. À l'automne 1918, l'Allemagne et ses alliés s'effondrent. L'armistice est signé le 11 novembre 1918 à Rethondes, en France. C'est la fin de la Première Guerre mondiale, qui a fait près de 8 millions de morts, dont 1,4 million de Français. □

Les femmes pendant la guerre ▼

Tout au long de la guerre, pour remplacer les hommes qui servent dans l'armée, des millions de femmes travaillent dans les usines (ci-dessus), les hôpitaux, les exploitations agricoles, les bureaux...
Après la guerre, nombre d'entre elles réclament le droit de participer plus activement à la vie politique (les Françaises n'ont toujours pas le droit de vote) et économique du pays.

Georges Clemenceau visitant une tranchée. ▼

Pendant les années 1920, la France se relève de la guerre. Mais, vers 1930, elle est touchée par une très grave crise économique. Affaiblie et incapable de s'opposer à l'Allemagne nazie, elle va s'engager dans un nouveau conflit.

L'entre-deux-guerres

1919 Le traité de Versailles est signé entre la France et ses alliés d'une part, et l'Allemagne d'autre part.
1920 Congrès de Tours : création du parti communiste (SFIC).
1922 Raymond Poincaré prend la tête du gouvernement.
1923 La France occupe la Ruhr, en Allemagne.
1924 Le Cartel des gauches remporte les élections législatives.
1926 Raymond Poincaré revient au pouvoir.
1931 La crise économique mondiale atteint la France.
1933 En Allemagne, Adolf Hitler est nommé chancelier (chef du gouvernement).
1934 Émeutes provoquées par la droite et l'extrême droite à Paris (6 février).
1936 Victoire du Front populaire aux élections législatives. Léon Blum prend la tête du gouvernement. Début de la guerre civile en Espagne (jusqu'en 1939).
1937 Démission de Léon Blum (juin).
1938 Conférence de Munich ; Hitler annexe une partie de la Tchécoslovaquie.
1939 **Mars** : Hitler envahit la Tchécoslovaquie. **Septembre** : le 1er, Hitler envahit la Pologne ; le 3, la France et la Grande-Bretagne déclarent la guerre à l'Allemagne ; début de la Seconde Guerre mondiale.

La France est l'un des grands vainqueurs de la Première Guerre mondiale. Le traité de paix signé à Versailles entre la France et ses alliés d'une part, et l'Allemagne d'autre part, lui est très favorable. L'Allemagne rend à la France l'Alsace et la Lorraine, annexées après la guerre de 1870-1871. Ses colonies sont confisquées. Elle doit verser en outre de très lourds dédommagements aux vainqueurs pour réparer les destructions causées par la guerre. Son armée est réduite et doit quitter la Rhénanie, une région frontière avec la France.

Dans un studio d'enregistrement de radio, en 1922.

Les Années folles

La France a beaucoup souffert de la guerre. Faisant plus de un million de morts et plusieurs centaines de milliers d'invalides, les combats ont dévasté le nord et l'est du pays. L'État doit rembourser l'argent emprunté aux Français et à l'étranger pour faire la guerre, verser des pensions aux victimes, relancer la production industrielle, reconstruire... Mais les Français veulent aussi oublier les quatre années terribles qu'ils viennent de traverser. Les années 1920 connaissent un tel débordement de vie et un tel désir de nouveautés – souvent venues d'Amérique – qu'on les appelle les « Années folles ».
Paris est alors la ville des fêtes et des plaisirs. Les orchestres de jazz, une musique inventée par les Noirs américains, font danser les jeunes gens. Les jeunes femmes à la mode coupent leurs cheveux très court, « à la garçonne », portent des vêtements souples et pratiques, raccourcissent leurs jupes ; elles marquent ainsi leur goût de l'indépendance, de la liberté.
Les Français sont de plus en plus nombreux à découvrir la radio. Le cinéma, qui devient parlant à partir de 1927, connaît un immense succès populaire. De plus en plus d'automobiles circulent sur les routes... L'avion, qui s'est développé pendant la guerre, transporte le courrier et quelques passagers sur de longues distances.
Cependant, pour la majorité des Français, la vie n'est pas facile, car les prix augmentent plus vite que les salaires. La nourriture est chère. De plus, après avoir tant fait pendant la guerre, les femmes sont souvent

Danse et jazz (affiche de 1925). ▼

Georges Clemenceau (à gauche) après la signature du traité de Versailles

déçues, car elles se retrouvent dans la même situation qu'avant 1914. Elles n'ont, par exemple, toujours pas le droit de vote.

Une vie politique agitée

Après la guerre, les élections législatives (celles des députés à l'Assemblée nationale) sont remportées par des partis de la droite et du centre. De nombreux députés sont d'anciens combattants. Cette période est dominée par la personnalité de Raymond Poincaré. Président de la République de 1913 à 1920, il prend la tête du gouvernement en 1922. Pour obliger l'Allemagne à payer les réparations prévues par le traité de Versailles, il fait occuper en 1923 la région industrielle de la Ruhr. En 1924, de nouvelles élections ont lieu.

À gauche, un nouveau parti a fait son apparition : le parti communiste, appelé alors SFIC (Section française de l'Internationale communiste). Il a été fondé lors du congrès de Tours (1920) par un groupe important de socialistes séduits par la révolution russe. Les autres, moins nombreux, ont gardé le nom de socialistes ; ils restent au sein de la SFIO (Section française de l'Internationale ouvrière), dirigée par Léon Blum.
Les élections de 1924 sont remportées par ce qu'on a appelé le Cartel des gauches, l'union des socialistes et des radicaux (voir p. 67). Le radical Édouard Herriot prend la tête du gouvernement, mais il se heurte à de grandes difficultés financières. Dès 1926, Raymond Poincaré revient au pouvoir. Il parvient à relancer la croissance de l'économie. Peu à peu, les conditions de vie des Français s'améliorent. □

Édouard Herriot (au centre) et des responsables du Cartel des gauches. ▼

Aristide Briand (1862-1932) ▼

Plusieurs fois président du Conseil (chef du gouvernement) avant, pendant et après la Première Guerre mondiale, Aristide Briand est l'un des hommes politiques les plus marquants de la IIIe République. Ministre des Affaires étrangères de 1925 à 1932, il s'efforce de réaliser le rapprochement de la France et de l'Allemagne. Il élabore ainsi les accords de Locarno (1925) signés par la France, la Grande-Bretagne, l'Allemagne et l'Italie, qui reconnaissent les frontières de ces pays. Défenseur de la paix, Briand joue un rôle très important dans la Société des Nations (SDN), un organisme créé lors du traité de Versailles pour développer la coopération et la sécurité entre les pays. Il reçoit le prix Nobel de la paix en 1926.

6 février 1934 : des manifestants de droite et d'extrême droite affrontent la police

De la crise à la guerre

En 1929, une crise économique sans précédent frappe les États-Unis. Elle gagne bientôt l'Europe et le monde entier (voir *l'Histoire du monde*). La France est durement touchée à partir de 1931. Les marchandises ne se vendent plus, des usines ferment, le chômage s'étend. Des artisans, des commerçants, des ouvriers se retrouvent sans travail et sans argent. Le mécontentement augmente. Il favorise le développement de mouvements d'extrême droite, qui réclament un pouvoir fort : les plus importants sont alors l'Action française, royaliste, et les Croix-de-Feu. Le 6 février 1934, à Paris, des milliers de manifestants de droite et d'extrême droite envahissent la place de la Concorde. Le chef du gouvernement, le radical Édouard Daladier, décide de faire intervenir les forces de l'ordre. Les affrontements font plusieurs morts et des centaines de blessés. Daladier démissionne pour ramener le calme.

Le Front populaire

La crise du 6 février 1934 pousse les partis de gauche à se regrouper. Plusieurs manifestations sont organisées pour répondre à l'extrême droite. Un Front populaire, réunissant les socialistes, les communistes et les radicaux, est bientôt formé. En mai 1936, celui-ci remporte les élections législatives. Pour la première fois en France, un socialiste, Léon Blum, prend la tête du gouvernement. La victoire du Front populaire fait naître un grand espoir chez les ouvriers. Dans de nombreuses usines, pour accélérer les

La guerre d'Espagne ▼

Une guerre civile éclate en Espagne en 1936, lorsqu'un général, Francisco Franco, entraîne l'armée contre les républicains, qui viennent de remporter les élections et ont formé, comme en France, un Front populaire. Les combats sont très meurtriers (ci-dessus, des soldats républicains sur les toits, à Tolède). L'Italie de Mussolini et l'Allemagne de Hitler soutiennent les nationalistes (les partisans de Franco) : ils envoient des soldats, des avions et des canons. L'Union soviétique aide les républicains. La France et la Grande-Bretagne ont choisi de ne pas intervenir directement. En mars 1939, vaincus, de nombreux républicains espagnols se réfugient en France, dans des conditions souvent très difficiles.

NOUS FAISONS le SERMENT SOLENNEL
DE RESTER UNIS POUR DÉSARMER
et DISSOUDRE les LIGUES FACTIEUSES,
POUR DÉFENDRE et DÉVELOPPER
LES LIBERTÉS DÉMOCRATIQUES
et POUR ASSURER la PAIX HUMAINE

1935 : un rassemblement populaire réunit les forces de gauche. ▼

29 septembre 1938 : Édouard Daladier arrive en Allemagne pour la conférence de Munich

réformes, ces derniers se mettent en grève et occupent les ateliers. En quelques mois, le Front populaire adopte d'importantes mesures sociales. Les salaires sont augmentés. La durée de travail passe de 48 à 40 heures par semaine. Le droit à deux semaines de congés payés annuels est institué : les ouvriers peuvent enfin, eux aussi, partir en vacances... Mais les difficultés économiques persistent et des divisions politiques affaiblissent rapidement le gouvernement. En juin 1937, Léon Blum démissionne.

La montée des périls

Hors de France, la crise économique a favorisé l'arrivée au pouvoir de dictateurs dans plusieurs pays d'Europe (voir *l'Histoire du monde*). En Italie, Benito Mussolini, chef du parti fasciste, gouverne depuis 1922. Dans les années 1930, au nom de la grandeur de l'Italie, il se lance dans une politique de conquêtes. En Allemagne, Adolf Hitler, chef du parti national-socialiste (ou parti nazi), devient chancelier (chef du gouvernement) en 1933. Il emprisonne ou élimine ses opposants, interdit les syndicats. Racistes, les nazis persécutent les Juifs, qu'ils accusent de tous les maux. Or, les grandes démocraties – c'est-à-dire les pays dans lesquels les citoyens votent librement, peuvent exprimer leurs idées, où le pouvoir n'appartient pas à un seul parti politique – laissent faire. La France, comme son alliée la Grande-Bretagne, veut la paix à tout prix.

Vers la guerre

Le 29 septembre 1938, une conférence est organisée à Munich à propos des Sudètes. Il s'agit d'une région de Tchécoslovaquie dont la population est de langue allemande et que Hitler veut annexer. La conférence réunit le Britannique Neville Chamberlain, le Français Édouard Daladier, Adolf Hitler pour l'Allemagne et Benito Mussolini pour l'Italie. Au terme des discussions, la France et l'Angleterre abandonnent les Sudètes à Hitler. Les Tchèques doivent évacuer cette région. Dès lors, plus rien ne semble pouvoir arrêter Hitler. En mars 1939, il occupe le reste de la Tchécoslovaquie. En mai, il renforce son alliance avec Mussolini. En août, il signe un pacte de non-agression avec l'URSS. Le 1er septembre, il envahit la Pologne, alliée de la France et de la Grande-Bretagne. Cette fois, ces deux pays ne peuvent plus reculer : ils déclarent la guerre à l'Allemagne. C'est le début de la Seconde Guerre mondiale. □

Léon Blum (1872-1950) ▲
Maurice Thorez (1900-1964)

Le socialiste Léon Blum (à gauche) et le communiste Maurice Thorez (à droite) sont les deux artisans de la victoire du Front populaire aux élections de 1936. Les communistes ne participent pas au gouvernement que forme Léon Blum, mais ils appuient son action. La fin du soutien communiste sera l'une des causes de la chute du gouvernement de Front populaire, en 1937.

◄ Les grèves de 1936

La victoire du Front populaire aux élections de juin 1936 est suivie d'une vague de grèves et d'occupations d'usines. Ces journées se déroulent dans une ambiance joyeuse, dont témoigne ce document, où l'on voit des femmes de grévistes apporter du ravitaillement aux occupants d'une usine.

De 1939 à 1945, un terrible conflit embrase le monde. Vaincue dès juin 1940, la France est occupée. En 1945, elle fait cependant partie du camp des vainqueurs grâce aux combattants réunis autour du général de Gaulle.

La Seconde Guerre

1939 Septembre : le 1er, Hitler envahit la Pologne ; le 3, la France et la Grande-Bretagne déclarent la guerre à l'Allemagne.
1940 Mai-juin : l'armée française est vaincue.
18 juin : le général de Gaulle lance un appel à continuer le combat.
22 juin : signature de l'armistice entre la France et l'Allemagne.
10 juillet : le maréchal Pétain obtient les pleins pouvoirs.
1941 22 juin : l'Allemagne attaque l'URSS.
7 décembre : les États-Unis entrent en guerre.
1942 18 avril : Pierre Laval devient chef du gouvernement.
16 juillet : rafle du Vél'd'Hiv' à Paris.
11 novembre : l'armée allemande envahit la zone libre.
1943 Mai : création du Conseil national de la Résistance (CNR).
Septembre : capitulation de l'Italie.
1944 6 juin : débarquement allié en Normandie.
25 août : libération de Paris.
2 septembre : premier conseil, à Paris, du Gouvernement provisoire de la République française.
1945 8 mai : capitulation de l'Allemagne.
14 août : capitulation du Japon.

Deux bombardiers allemands en mai 1940.

La Seconde Guerre mondiale éclate en septembre 1939, lorsque la France et la Grande-Bretagne déclarent la guerre à l'Allemagne.

La défaite française

Après l'invasion de la Pologne (voir p. 79) par l'Allemagne en septembre 1939, il se passe peu de chose sur le front ; c'est la « drôle de guerre ». Mais, au printemps 1940, l'armée allemande passe à l'attaque : c'est le *Blitzkrieg,* la « guerre-éclair » (voir l'*Histoire du monde*). Après le Danemark, la Norvège, la Finlande, la Belgique, les Pays-Bas, le Luxembourg, la France est envahie le 10 mai 1940. Les Allemands entrent en France par le nord et descendent vers Paris. L'avancée des blindés (chars d'assaut) est massivement appuyée par l'aviation. Fuyant devant l'ennemi, près de 10 millions de civils partent vers l'ouest et vers le sud ; ils prennent la route à pied, à bicyclette, en voiture, n'emportant avec eux que le strict minimum : c'est l'exode. Le 14 juin 1940, les Allemands sont à Paris. Dans la nuit du 16 au 17 juin, le maréchal Philippe Pétain, qui a pris la tête du gouvernement, demande l'armistice (arrêt des combats). Le 18 juin, depuis Londres, un autre militaire, le général de Gaulle, appelle à la résistance. L'armistice est signé le 22 juin. En Europe, la Grande-Bretagne se retrouve seule en guerre contre l'Allemagne et l'Italie. Après l'armistice, la France est coupée en deux ; l'armée allemande occupe le Nord tandis que le Sud reste libre.

Vichy et la collaboration

Le 10 juillet 1940, une majorité de députés et de sénateurs accordent les pleins pouvoirs au maréchal Pétain. Le lendemain, un nouveau régime est fondé : l'État français. La IIIe République n'existe plus.

Grand soldat de la Première Guerre mondiale, le maréchal Pétain a 84 ans. Il est très populaire et la majorité des Français lui apportent leur soutien. Installé à Vichy, il engage une « Révolution nationale » : le suffrage universel, les partis politiques, les syndicats sont supprimés. La devise « Travail, Famille,

Une famille sur la route de l'exode, en juin 1940.

une longue file d'attente devant une boucherie, en 1942

mondiale

Patrie » remplace celle de la République : « Liberté, Égalité, Fraternité ».
Le 24 octobre 1940, Pétain rencontre Hitler à Montoire (Loir-et-Cher) et annonce qu'il envisage une collaboration avec l'Allemagne. Sur le modèle de l'Allemagne nazie, Vichy adopte très vite des lois antisémites (hostiles aux Juifs). Dès octobre 1940, les Juifs sont soumis à un statut particulier. Puis ils sont peu à peu exclus de très nombreux métiers. À partir d'avril 1942, Pierre Laval devient chef du gouvernement ; la collaboration avec l'Allemagne se renforce. En juillet, le gouvernement organise la rafle du Vél'd'Hiv' à Paris : arrêtés par la police française, plus de 13 000 Juifs – hommes, femmes, enfants – sont rassemblés dans le stade du Vélodrome d'hiver, avant d'être déportés vers les camps d'extermination allemands.
Le 11 novembre 1942, les Allemands envahissent la zone libre : dès lors, toute la France est occupée. Mais Vichy poursuit la collaboration. En janvier 1943, Laval crée la Milice, une organisation policière composée de Français collaborateurs, c'est-à-dire qui travaillent avec l'occupant. En février, le Service du travail obligatoire (STO) est instauré : il oblige les jeunes Français à aller travailler en Allemagne.

Les années noires de l'Occupation

Pour la majorité des Français, cependant, le premier souci est de se nourrir. Les produits courants (pain, beurre, viande...) sont rationnés, car les Allemands pillent le pays, prenant tout ce dont ils ont besoin. Pour se procurer des vivres, il faut des tickets de rationnement. Les files d'attente s'allongent devant les magasins.
Aux difficultés matérielles s'ajoute la peur des bombardements et des arrestations par la Gestapo (police politique allemande). Ce sont vraiment des années dramatiques, des « années noires ».

La ville de Thiers accueille Philippe Pétain, chef de l'État français de 1940 à 1944.

Charles de Gaulle et l'appel du 18 juin ▲

Le 18 juin 1940, sur les ondes de la BBC (radio anglaise), un général français, Charles de Gaulle, appelle les Français à continuer le combat contre l'Allemagne. Grâce à lui, la résistance va s'organiser.

La France occupée

En juin 1940, après l'armistice, la France est coupée en deux par la ligne de démarcation. Les Allemands, qui ont annexé l'Alsace et la Lorraine, occupent la zone nord ; la zone sud, elle, reste libre. En novembre 1942, elle est occupée à son tour. ▼

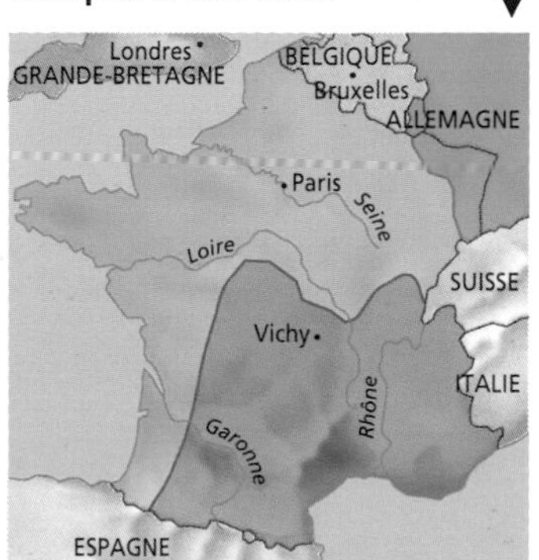

Zone occupée
Zone libre

des résistants dans le maquis, en Haute-Savoie

Vers la Libération

Jean Moulin (1899-1943) ▲

Jean Moulin est l'un des grands héros de la Résistance. Arrêté par les Allemands le 21 juin 1943, torturé, il meurt au cours de son transfert en Allemagne en juillet 1943.

La solution finale ▼

Au cours de la Seconde Guerre mondiale, la persécution des Juifs organisée par les nazis dès 1933 s'étend à tous les pays d'Europe contrôlés par les Allemands. En France aussi, les Juifs sont obligés de porter une étoile jaune sur leurs vêtements (ci-contre). À partir de 1942, les nazis mettent en œuvre la « solution finale », c'est-à-dire l'extermination de tous les Juifs d'Europe. Plus de cinq millions d'entre eux disparaissent dans les camps de la mort.

En 1942, les nazis dominent l'Europe. Mais la Grande-Bretagne n'est plus seule en guerre. En juin 1941, Hitler a envahi l'URSS. Puis, en décembre 1941, les Japonais, alliés aux Allemands, attaquent par surprise la base américaine de Pearl Harbour, dans le Pacifique. Aussitôt, les États-Unis rejoignent les Britanniques et les Soviétiques. Ces trois puissances dominent le camp des Alliés.

Le tournant de la guerre

Fin 1942, début 1943, les Alliés remportent des victoires décisives en Europe et dans le Pacifique (voir *l'Histoire du Monde*). En novembre 1942, les Anglo-Américains débarquent au Maroc et en Algérie. Aussitôt, en France, l'armée allemande envahit la zone libre (voir p. 81). Les Alliés font de l'Afrique du Nord une base pour reconquérir l'Europe. Ils débarquent en Sicile (juillet 1943), puis ils remontent vers le nord. L'Italie capitule (septembre 1943).

La France qui se bat

De 1942 à 1944, le général de Gaulle parvient à réunir les Français qui se battent. Ceux-ci comprennent, d'une part, les Forces françaises libres (FFL), comme celles du général Leclerc en Afrique, et d'autre part, les résistants qui, en France même, se sont engagés dans la lutte contre l'occupant. Les résistants, parmi lesquels les communistes jouent un grand rôle, sont divisés en de nombreuses tendances et réseaux (ou mouvements). De Gaulle confie à Jean Moulin la mission de les rassembler. C'est chose faite en mai 1943 avec la création du Conseil national de la Résistance (CNR). Au fil des mois, la Résistance se renforce. Beaucoup d'hommes, refusant le Service du travail obligatoire (STO), gagnent des régions peu accessibles où ils forment les premiers « maquis ». En février 1944, tous les résistants sont réunis au sein des Forces françaises de l'intérieur (FFI). En juin 1944, le général de Gaulle transforme le Comité français de libération nationale (formé à Alger en juin 1943) en Gouvernement provisoire de la République française (GPRF). Tout est prêt pour assumer les responsabilités du pouvoir quand la France sera libérée.

Le général Leclerc (à gauche) en Afrique du Nord.

Le Débarquement et la Libération

Dans la nuit du 5 au 6 juin 1944, les Alliés débarquent sur cinq plages de Normandie. Cette opération militaire, la plus formidable de tous les temps, rassemble des centaines de milliers de soldats et un matériel considérable. Les combats sont acharnés, les bombardements sur les villes, terribles. Il faut deux mois aux forces commandées par le général américain Eisenhower pour

6 juin 1944 : les Alliés débarquent en Normandie

rompre les défenses allemandes. Peu à peu, cependant, les Alliés l'emportent et commencent à remonter vers Paris. Le 19 août, la population de la capitale se soulève pour hâter sa libération. Préparée par la Résistance, cette insurrection est bientôt soutenue par les blindés de la division du général Leclerc, débarquée en Normandie le 1er août. Le 25 août 1944, Paris est libérée. Accompagné par les principaux chefs de la Résistance, le général de Gaulle descend les Champs-Élysées, acclamé par la foule. Arrêtés par les Allemands, le maréchal Pétain et Pierre Laval ont été emmenés en Allemagne. L'État français (voir p. 80) n'existe plus. Le Gouvernement provisoire de la République française prend le pouvoir, présidé par le général de Gaulle.

À Paris, place de la Concorde, la joie de la Libération. ▼

La fin de la guerre

Les combats, cependant, ne sont pas terminés. Le 15 août 1944, des forces franco-américaines ont débarqué en Provence. Elles libèrent Marseille et Toulon puis remontent la vallée du Rhône. Les combats contre les Allemands sont très durs dans le nord et l'est de la France (le 23 novembre, Leclerc libère Strasbourg), puis en Allemagne même. De leur côté, les Soviétiques font reculer les Allemands sur le front de l'Est. En avril 1945, ils entrent dans Berlin. Le 30, Hitler se suicide. Le 8 mai, l'Allemagne capitule. C'est la fin de la guerre en Europe. Mais il faut attendre le 14 août 1945 pour que le Japon capitule à son tour, après que les Américains ont lancé deux bombes atomiques sur Hiroshima (6 août) et Nagasaki (9 août). □

Bombardements, destructions, atrocités ▲

Les combats de la Libération sont très durs. Les Alliés bombardent les villes tenues par les Allemands, comme Le Havre ou Saint-Lô (ci-dessus). De leur côté, certaines troupes allemandes se livrent à des atrocités (massacres du Vercors – juin-juillet 1944 –, d'Oradour-sur-Glane – 10 juin). Dès la Libération, aussi, beaucoup de gens suspectés d'avoir collaboré ou fraternisé avec les Allemands sont arrêtés, parfois exécutés sur-le-champ, sans jugement. La guerre de 1914-1918 avait été très meurtrière. Celle de 1939-1945 l'est encore plus. Entre 40 et 50 millions de civils et de militaires ont été tués, dont quelque 7 millions de déportés en Allemagne. La France compte environ 600 000 morts, et le pays va devoir reconstruire les villes, les usines et les voies de communication.

Née en 1946, la IVe République parvient en quelques années à reconstruire le pays et à relancer la croissance. Toutefois, affaiblie par l'instabilité politique et les difficultés de la décolonisation, elle disparaît dès 1958.

La IVe République

1944 Constitution du gouvernement provisoire présidé par le général de Gaulle (septembre).
1945 Création de la Sécurité sociale. Élection de l'Assemblée constituante.
1946 **20 janvier :** démission du général de Gaulle.
13 octobre : la Constitution de la IVe République est approuvée par les Français lors d'un vote.
Novembre : début de la guerre d'Indochine.
1948 Début du plan Marshall d'aide américaine à la reconstruction (jusqu'en 1952).
1951 Traité de Paris instituant la CECA (Communauté européenne du charbon et de l'acier).
1954 **7 mai :** guerre d'Indochine ; défaite française à Diên Biên Phu.
19 juin : Pierre Mendès France devient chef du gouvernement (jusqu'au 5 février 1955).
Le 21 juillet, les accords de Genève mettent fin à la guerre d'Indochine.
1er novembre : insurrection en Algérie ; début de la guerre d'Algérie (jusqu'en mars 1962).
1957 Signature du traité de Rome qui crée la Communauté économique européenne (« Marché commun »).
1958 Le général de Gaulle prend la tête du gouvernement (1er juin).

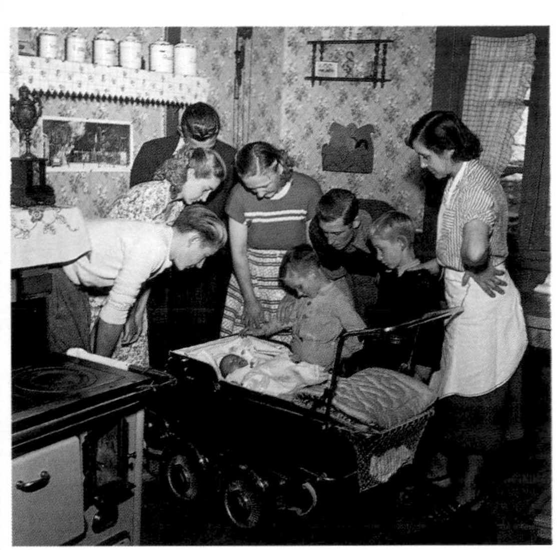

Des plus grands au nouveau-né : une famille nombreuse en 1950.

Dès septembre 1944, le Gouvernement provisoire de la République, dirigé par le général de Gaulle, entreprend des réformes importantes. Les femmes obtiennent le droit de vote (5 octobre 1944). Un système de Sécurité sociale est créé pour tous les salariés. De grandes entreprises, comme Renault, sont nationalisées. Dans le même temps, une nouvelle république, la IVe, se met en place.

Une nouvelle république

Après la guerre, la vie politique est dominée par le parti socialiste (SFIO), le parti communiste, et un nouveau parti, qui soutient le général de Gaulle, le Mouvement républicain populaire (MRP). En octobre 1945, ces trois formations l'emportent aux élections de l'Assemblée chargée de rédiger la Constitution (les grandes lois qui définissent l'organisation des pouvoirs dans un pays) de la IVe République.
Le général de Gaulle souhaite un pouvoir exécutif (celui qu'exercent le président et le chef du gouvernement) fort. Ce n'est pas le cas de la majorité des membres de l'Assemblée. En janvier 1946, le Général préfère démissionner. La IVe République est instituée sans lui, en octobre 1946.
Les députés de l'Assemblée nationale, élus au suffrage universel, y détiennent presque tous les pouvoirs. Ils peuvent à tout moment refuser leur confiance au président du Conseil (chef du gouvernement). Les gouvernements sont donc très fragiles, certains ne durant que quelques jours.

La reconstruction et l'Europe

Après la Libération, la première urgence est la reconstruction. Les combats ont dévasté de nombreuses villes, des ports en particulier, et des régions entières, notamment la Normandie et l'Alsace.
La France bénéficie du plan Marshall, une aide financière apportée par les Américains aux pays européens (1948). Dès le début des années 1950, l'économie française connaît un développement rapide. La population augmente (de 40 millions en 1946 à près

la chaîne de montage de la très populaire 4 CV Renault en 1956

de 45 en 1958) grâce à de nombreuses naissances : on parle d'un « baby boom ». Dans le même temps, la France de la IVe République jette les bases d'une Europe unie, où la coopération doit faire oublier la guerre. En 1951, une Communauté européenne du charbon et de l'acier (CECA) est créée sur la proposition des Français Robert Schuman et Jean Monnet. Elle réunit la France, l'Allemagne, l'Italie et le Benelux (Belgique, Pays-Bas, Luxembourg). En mars 1957, ces six pays signent le traité de Rome qui fonde la Communauté économique européenne (CEE), ou « Marché commun ». Son but est d'assurer peu à peu une libre circulation des hommes et des marchandises entre les États membres.

Des guerres dans les colonies

Malgré les réussites de la reconstruction et de la Communauté européenne, la IVe République est dominée par les difficultés de la décolonisation. En Asie, en Afrique, les colonies, qui ont activement participé à la guerre, réclament plus ou moins violemment leur indépendance.
La guerre éclate en Indochine dès 1946. Les troupes françaises s'enlisent dans un long conflit qui s'achève en 1954 par la défaite de Diên Biên Phu (7 mai 1954). Le nouveau président du Conseil, Pierre Mendès France, signe la paix à Genève, et le Viêt Nam, séparé en deux, devient indépendant.
Pendant quelques mois, Mendès France impose un nouveau style de gouvernement, rapide, efficace, proche de la population (il explique régulièrement sa politique à la radio). Au pouvoir jusqu'en février 1955, il accorde notamment l'autonomie interne à la Tunisie et prépare celle du Maroc.
En novembre 1954, c'est l'Algérie qui se soulève contre la présence française. Au fil des mois, la situation s'aggrave, les combats s'intensifient. En 1958, aucun homme politique n'a pu résoudre le drame algérien ; la France est au bord de la guerre civile.
Le 1er juin, le président de la République, René Coty, appelle le général de Gaulle au pouvoir. Aussitôt, celui-ci se fait accorder les pleins pouvoirs et le droit d'élaborer une nouvelle constitution ; c'est la fin de la IVe République. □

Allemands et Français côte à côte lors d'une réunion de la CECA en 1952. ▼

La guerre d'Algérie ▲

Le 1er novembre 1954, une insurrection lancée par un Front de libération nationale (FLN) éclate en Algérie contre la présence française. La répression est très dure, car, pour l'ensemble des hommes politiques français, l'Algérie – où vivent de nombreux colons – c'est la France. C'est le début d'une guerre de près de huit ans (ci-dessus, une opération militaire dans le djebel – région montagneuse).
En 1958, le drame algérien ramène au pouvoir le général de Gaulle. Mais la guerre durera encore jusqu'en 1962, jusqu'à l'indépendance (voir p. 86). En France, de nombreux intellectuels se sont élevés contre ce conflit qui a fait de très nombreux morts ; ils ont notamment dénoncé l'utilisation de la torture par l'armée française contre les Algériens.

La Ve République donne de larges pouvoirs au chef de l'État. Cinq présidents se sont succédé depuis sa mise en place en 1958 : Ch. de Gaulle, G. Pompidou, V. Giscard d'Estaing, F. Mitterrand et J. Chirac.

La Ve République

1958 Septembre : la Constitution de la Ve République est approuvée par référendum.
Décembre : le général de Gaulle devient président de la République.
1960 Indépendance des colonies françaises d'Afrique noire.
1962 L'Algérie devient indépendante.
1965 Le général de Gaulle est élu président de la République au suffrage universel (décembre).
1968 Événements de Mai 68.
1969 Avril : démission du général de Gaulle.
Juin : Georges Pompidou est élu président de la République.
1970 Mort du général de Gaulle (9 novembre).
1974 2 avril : mort de Georges Pompidou.
Mai : Valéry Giscard d'Estaing est élu président de la République.
Juin : l'âge de la majorité passe de 21 à 18 ans.
1981 François Mitterrand est élu président de la République (mai) ; nombreuses réformes économiques, politiques, sociales.
1988 François Mitterrand est réélu président de la République (mai).
1992 Référendum autorisant la signature du traité de Maastricht (Union européenne).
1995 Jacques Chirac est élu président de la République (mai).

Un « bain de foule » du général de Gaulle à Rennes, en septembre 1958.

Revenu au pouvoir en mai 1958, le général de Gaulle fait aussitôt rédiger une nouvelle constitution, qui sera approuvée par un vote des Français. La Constitution de la Ve République donne des pouvoirs étendus au président de la République (ou chef de l'État) : élu pour 7 ans (on parle de « septennat »), il nomme le Premier ministre, peut organiser un référendum (vote par oui ou par non sur une question), peut dissoudre l'Assemblée nationale (ce qui provoque une nouvelle élection des députés) et, enfin, peut obtenir les pleins pouvoirs en cas de circonstances exceptionnelles.
En décembre 1958, le général de Gaulle est élu par le Parlement (réunion de l'Assemblée nationale et du Sénat) à la présidence.

La fin de la guerre d'Algérie

De Gaulle a promis de ramener la paix en Algérie. En 1959, il reconnaît aux Algériens le droit de choisir, lors d'un vote, de rester français ou de devenir indépendants. Les Français d'Algérie l'accusent de trahison. Créée par des partisans de l'Algérie française, l'OAS (Organisation de l'armée secrète) multiplie les attentats. De Gaulle poursuit pourtant les négociations avec les Algériens. Acceptés par les Français lors d'un référendum (avril 1962), les accords d'Évian préparent l'indépendance de l'Algérie. 800 000 Français d'Algérie (les pieds-noirs) préfèrent quitter le pays pour la métropole. La plupart des autres colonies françaises d'Afrique sont elles aussi devenues indépendantes, dès 1960.

Une certaine idée de la France

Charles de Gaulle a tellement marqué son époque que les historiens parlent parfois d'une « république gaullienne ». Il aime le contact direct avec la population (« le bain de foule ») et sait utiliser la télévision pour s'adresser aux Français.
De Gaulle a toujours souhaité que le président de la République ait un réel

le général de Gaulle à Phnom Penh, en 1966, au Cambodge

pouvoir. Dès la fin de la guerre d'Algérie, il demande par référendum qu'il soit élu au suffrage universel, car un président choisi par le peuple aura un poids incontestable. Les Français élisent leur président pour la première fois en 1965 ; de Gaulle l'emporte. Le général de Gaulle veut aussi que la France joue un rôle de premier plan dans le monde, sans dépendre des grandes puissances, les États-Unis ou l'URSS. Il développe l'arme nucléaire (la première bombe atomique française explose en 1960) et quitte l'OTAN, organisation militaire fondée en 1949 autour des États-Unis. Au cours de ses nombreux voyages hors de France, il affirme sa volonté de soutenir les pays qui veulent échapper à l'influence des superpuissances. Il reconnaît ainsi la Chine populaire (1964), et dénonce la politique américaine au Viêt Nam dans un célèbre discours prononcé au Cambodge, à Phnom Penh (1966).

Croissance et crise

Sous de Gaulle, la croissance engagée dans les années 1950 se poursuit. La production industrielle et agricole augmente.
On commence à construire des cités nouvelles aux portes des grandes villes.
La main-d'œuvre manque et la France fait venir des immigrés pour travailler dans les usines et sur les grands chantiers.
Le niveau de vie des Français s'élève. Télévision, automobile, appareils électroménagers... deviennent des produits courants. On parle d'une société de consommation.
De nombreux jeunes, toutefois, rêvent d'une société plus vivante, moins préoccupée de son seul confort. « La France, dit un journaliste, s'ennuie. » Le mouvement étudiant de Mai 1968 et les grandes grèves qui l'accompagnent vont secouer le pays.

L'après de Gaulle

Un an plus tard, de Gaulle organise un référendum sur un texte complexe concernant à la fois une réforme du Sénat et la régionalisation. Le « non » l'emporte. Le soir même, dans la nuit du 27 au 28 avril 1969, le Général démissionne. Georges Pompidou, qui a été Premier ministre de 1962 à 1968, se présente aux élections présidentielles. Il l'emporte facilement. Pompidou poursuit dans ses grandes lignes la politique du Général. Accélérant la construction de l'Europe, il accepte en 1973 l'entrée du Royaume-Uni, de l'Irlande et du Danemark dans le Marché commun. Mais la maladie écourte son septennat : il meurt en avril 1974. □

◄ **Le président G. Pompidou en voyage officiel en Chine en 1973.**

Mai 1968

À la fin des années 1960, de nombreux étudiants remettent en cause la société de consommation et l'organisation des universités.

Le mouvement part de l'université de Nanterre puis s'étend aux autres universités parisiennes. Les étudiants se mettent en grève (ci-dessus, l'occupation de la Sorbonne). Dans la nuit du 10 au 11 mai, ils dressent des barricades rue Gay-Lussac dans le Quartier latin, à Paris ; les forces de l'ordre (policiers et CRS) les affrontent. Très vite, le mouvement des étudiants, soutenu par les partis et les syndicats de gauche, gagne toute la France. La grève s'étend dans les usines, les transports, les administrations : la France est paralysée. Le 30 mai, de Gaulle annonce la dissolution de l'Assemblée ; dès le lendemain, le travail commence à reprendre.

la vie est difficile dans les grandes banlieues, où les activités manquent

La France d'aujourd'hui

D'Ariane au TGV ▲

Pour mener à bien de grands projets, la France s'allie de plus en plus à d'autres pays, notamment au sein de l'Union européenne. Née d'un projet français, *Ariane* (ci-dessus), qui est lancée depuis le site de Kourou, en Guyane, est une fusée européenne. L'avion supersonique *Concorde*, qui effectua son premier vol d'essai en 1969, a été construit par les Français et les Britanniques. Quant aux avions *Airbus*, ils sont fabriqués par un groupe européen réunissant des constructeurs français, allemands, britanniques et espagnols. D'autres réussites techniques et commerciales sont plus strictement françaises, comme le TGV (train à grande vitesse), mis en service en 1981 et dont le réseau ne cesse de s'étendre.

Après la mort de Georges Pompidou (1974), Valéry Giscard d'Estaing est élu président de la République. Ancien ministre du général de Gaulle, il a fondé en 1962 le groupe parlementaire des Républicains indépendants (RI). Au début de son septennat, il fait adopter des lois qui tiennent compte de l'évolution de la société : l'âge de la majorité passe de 21 à 18 ans (1974), l'interruption volontaire de grossesse est autorisée (1975)... Mais il doit aussi faire face au début d'une crise économique profonde. Aux élections présidentielles de 1981, le candidat de la gauche unie, François Mitterrand, l'emporte. Ce dernier est depuis 1971 le premier secrétaire du Parti socialiste (PS), qui a remplacé la SFIO en 1969. Soutenu par le Parti communiste, il met aussitôt en œuvre un vaste programme comprenant des réformes économiques, politiques et sociales. La peine de mort est abolie dès 1981. En 1988, Mitterrand est réélu président.
En 1995, Jacques Chirac remporte les élections présidentielles. Il est le fondateur du Rassemblement pour la République (RPR), et s'inspire de la pensée du général de Gaulle.

Le président Valéry Giscard d'Estaing en voyage officiel en Côte d'Ivoire, en 1978.

Après les élections législatives de 1997, il nomme Premier ministre le socialiste Lionel Jospin. Une nouvelle cohabitation s'engage.

Une crise économique et sociale

Au milieu des années 1970, la France est touchée par une crise économique qui atteint tous les pays industrialisés. Tous les gouvernements, de droite comme de gauche, prennent des mesures pour tenter d'enrayer le mal. Mais, malgré leurs efforts, la croissance se ralentit et le chômage ne cesse d'augmenter. On compte ainsi un million de chômeurs en 1977, deux millions en 1982, trois millions en 1995. La société connaît un profond malaise. Chômeurs de longue durée, jeunes qui ne trouvent pas d'emploi, travailleurs immigrés que certains accusent de tous les maux, personnes sans domicile fixe... trop de gens se sentent « exclus », ne savent pas comment bâtir leur avenir.

◄ **Coluche a créé les Restaurants du cœur pour venir en aide aux plus démunis.**

des jeunes manifestent contre le racisme et pour les droits des immigrés

La France dans le monde

Depuis le général de Gaulle, tous les présidents se sont attachés à maintenir la place de la France dans le monde. Après la décolonisation, des liens de coopération économique, politique, culturelle ont été développés avec les anciennes colonies, notamment en Afrique. Les présidents voyagent de plus en plus à l'étranger. Au-delà des discours et de la politique, leurs déplacements ont aussi un but économique... Il faut faire connaître les produits français, souvent à la pointe des techniques (centrales nucléaires, Airbus, TGV...).
La France joue aussi un rôle important sur la scène internationale par l'intermédiaire de l'ONU (Organisation des nations unies). Elle siège en permanence au Conseil de sécurité de l'Organisation créée en 1945 pour maintenir la paix et la sécurité (voir l'*Histoire du monde*).

La France dans l'Europe

Depuis la création de la CEE, la France joue un rôle capital dans la construction de l'Europe. Tous les présidents de la République, notamment, attachent une grande importance à leurs relations avec les chanceliers (chefs du gouvernement) de l'Allemagne, car l'Europe a besoin d'une étroite collaboration entre les deux pays. La Communauté ne cesse de s'élargir. En 1992, un traité signé à Maastricht, aux Pays-Bas, a fondé l'Union européenne. Celle-ci aura notamment une même monnaie pour tous. Malgré la crise actuelle, l'Union européenne est la première puissance commerciale du monde, et la France y tient une place essentielle. □

Les dirigeants des pays les plus riches du monde à Paris, en 1989. ▼

La cohabitation ▲

Sous la Ve République, un président d'un parti de gauche peut gouverner avec un Premier ministre d'un parti de droite (ou inversement). Il suffit pour cela que les élections législatives (celles des députés de l'Assemblée nationale) soient remportées par des partis d'une autre majorité que celle du président qui a été élu avant. Celui-ci peut alors démissionner ou choisir son Premier ministre dans la nouvelle majorité : c'est ce que l'on appelle « la cohabitation ».
Il y a eu deux cohabitations sous la présidence du socialiste François Mitterrand, qui a travaillé avec deux Premiers ministres RPR, Jacques Chirac de 1986 à 1988 (ci-dessus avec François Mitterrand lors d'un sommet avec des chefs d'État africains), puis Édouard Balladur de 1993 à 1995.
La démocratie, c'est aussi cela : savoir vivre ensemble, respecter les idées des autres.

La fête de tous les Français

Le 14 juillet 1989, la France a célébré le bicentenaire de la révolution de 1789. À Paris, sur les Champs-Élysées, un immense défilé a réuni les Français, mais aussi de nombreux participants venus du monde entier (à gauche, un immense char chinois). Car la Révolution française, avec la Déclaration des droits de l'homme, s'adresse à tous les peuples. C'est également pendant la Révolution que s'est mise en place la première Assemblée nationale. En mai 1995, son président a réuni le parlement des enfants (ci-dessus) : 577 jeunes ont ainsi découvert comment fonctionne l'Assemblée, dont les députés représentent tous les Français.

Mérovingiens — v. 428 ?-751

Les premiers rois mérovingiens sont très mal connus ; ils appartiennent plus à la légende qu'à l'histoire.

Chlodion — **v. 428 ?-v. 447 ?**

Mérovée — **v. 447 ?-v. 458 ?**

Childéric Ier — **v. 458 ?-v. 482**

Clovis — **v. 482-511**
511-558 : le royaume des Francs est partagé entre plusieurs rois. Ceux-ci règnent sur la Neustrie, l'Austrasie, la région de Paris ou la région d'Orléans, la Bourgogne.

Clotaire Ier — **seul roi de 558 à 561**
561-613 : le royaume des Francs est partagé entre plusieurs rois.

Clotaire II — **seul roi de 613 à 623**

Dagobert Ier — **629-639**
639-751 : le royaume des Francs est partagé entre plusieurs rois. Le dernier Mérovingien, Childéric III (743-751), est déposé par Pépin le Bref.

Carolingiens — 751-987

Cette dynastie doit son nom à Charles (*Carolus*, en latin) Martel. Mais il n'a pas été roi. Son fils, Pépin le Bref, est le premier Carolingien couronné.

Pépin le Bref — **751-768**

Charlemagne — **768-814**
(il règne avec son frère Carloman de 768 à 771)

Louis Ier le Pieux — **814-840**

Charles II le Chauve — **843-877**
(il est empereur de 875 à 877)

Louis II le Bègue — **877-879**

Carloman — **879-884**
(il règne avec son frère Louis III jusqu'en 882)

Charles le Gros — **884-887**
Entre 887 et 987, les Carolingiens doivent parfois laisser la couronne aux Robertiens (voir p. 17), les ancêtres des Capétiens.

Eudes — **888-898**
(Robertien)

Charles III le Simple — **893-923**
(Carolingien)
(il partage le pouvoir avec Eudes jusqu'en 898)

Robert Ier — **922-923**
(Robertien)
(il s'oppose à Charles III le Simple)

Raoul de Bourgogne — **923-936**
(Raoul, duc de Bourgogne, n'est ni un Carolingien ni un Robertien)

Louis IV d'Outremer — **936-954**
(Carolingien)

Lothaire — **954-986**
(Carolingien)

Louis V — **986-987**
(Carolingien)

Capétiens directs — 987-1328

Le nom de cette dynastie vient de Hugues Capet, son premier roi, qui descend des Robertiens.
De 987 à 1328, tous les rois règnent de père en fils : ce sont les « Capétiens directs ».

Hugues Capet — **987-996**

Robert II le Pieux — **996-1031**

Henri Ier — **1031-1060**

Philippe Ier — **1060-1108**

Louis VI le Gros — **1108-1137**

Louis VII le Jeune — **1137-1180**

Philippe II Auguste — **1180-1223**

Louis VIII le Lion — **1223-1226**

Louis IX (Saint Louis) — **1226-1270**

Philippe III le Hardi — **1270-1285**

Philippe IV le Bel — **1285-1314**

Louis X le Hutin — **1314-1316**

Jean Ier le Posthume — **1316**
(fils de Louis X, il ne vit que quelques jours)

Philippe V le Long — **1316-1322**

Charles IV le Bel — **1322-1328**
Louis X, Philippe V et Charles IV sont tous les trois les fils de Philippe IV. Charles IV meurt sans fils. La couronne revient à son cousin Philippe de Valois (petit-fils de Philippe III le Hardi). Les rois qui vont régner désormais sont les « Capétiens indirects ».

Capétiens indirects — 1328-1792

Valois — 1328-1498

Philippe VI de Valois — **1328-1350**

Jean II le Bon — **1350-1364**

Charles V le Sage — **1364-1380**

Charles VI — **1380-1422**

Charles VII — **1422-1461**

Louis XI — **1461-1483**

Charles VIII — **1483-1498**
La couronne passe à un cousin de Charles VIII, de la famille Valois-Orléans.

Valois-Orléans — 1498-1515

Louis XII — **1498-1515**
François Ier est un cousin de Louis XII.
C'est le premier roi de la famille Orléans-Angoulême.

Orléans-Angoulême — 1515-1589

François Ier — **1515-1547**

Henri II — **1547-1559**

François II — **1559-1560**

Charles IX — **1560-1574**

Henri III — **1574-1589**
Henri III meurt sans héritier. Le pouvoir passe à la famille des Bourbons. Ce sont aussi des Capétiens, car ils descendent du sixième fils de Saint Louis, Robert de Clermont.

Bourbons — 1589-1792

Henri IV	1589-1610
Louis XIII	1610-1643
Louis XIV	1643-1715
Louis XV	1715-1774
Louis XVI	1774-1792

Révolution et Empire — 1789-1814/1815

Louis XVI est détrôné par les révolutionnaires en août 1792. La république est proclamée en septembre 1792.

Première République — 1792-1804

Convention — 1792-1795
Le pouvoir appartient à une assemblée élue, la Convention nationale.

Directoire — 1795-1799
La république est dirigée par plusieurs directeurs.

Consulat — 1799-1804
Au début, la République est dirigée par trois consuls, dont Napoléon Bonaparte, d'abord Premier consul puis consul à vie en 1802. En 1804, Bonaparte proclame l'Empire et devient Napoléon Ier, empereur des Français.

Premier Empire — 1804-1814/1815

Napoléon Ier	1804-1814 (puis 20 mars-22 juin 1815)

Restauration et monarchie de juillet — 1814/1815-1848

Les deux premiers rois de la Restauration sont des frères de Louis XVI, et donc des Bourbons. Le troisième appartient à la famille d'Orléans.

Louis XVIII	1814-1815 puis 1815-1824
Charles X	1824-1830
Louis-Philippe Ier	1830-1848

Deuxième République — 1848-1852

La révolution de 1848 chasse le roi Louis-Philippe Ier. La république est proclamée.

Gouvernement provisoire	février à décembre 1848
Louis Napoléon Bonaparte, président de la République	décembre 1848 à décembre 1851

En 1852, Louis Napoléon Bonaparte met fin à la République en proclamant le second Empire.

Second Empire — 1852-1870

Napoléon III	1852-1870

Troisième République — 1870-1940

La république est proclamée à Paris, le 4 septembre 1870. Quatorze présidents de la République se succèdent jusqu'en 1940.

Adolphe Thiers	1871-1873
Edme Patrice de Mac-Mahon	1873-1879
Jules Grévy	1879-1887
Sadi Carnot	1887-1894
Jean Casimir-Perier	1894-1895
Félix Faure	1895-1899
Émile Loubet	1899-1906
Armand Fallières	1906-1913
Raymond Poincaré	1913-1920
Paul Deschanel	février-septembre 1920
Alexandre Millerand	1920-1924
Gaston Doumergue	1924-1931
Paul Doumer	1931-1932
Albert Lebrun	1932-1940

État français — 1940-1944

L'État français est proclamé en juillet 1940, alors que la France est envahie par l'Allemagne. Il met fin à la IIIe République.

Philippe Pétain, chef de l'État	1940-1944

Gouvernement provisoire de la République — 1944-1947

En juin 1944, l'État français est supprimé. Un Gouvernement provisoire dirige la France jusqu'au début de la IVe République. Ce gouvernement est lui-même dirigé par :

Charles de Gaulle	1944-1946
Félix Gouin	janvier à juin 1946
Georges Bidault	juin à novembre 1946
Léon Blum	décembre 1946-janvier 1947

Quatrième République — 1947-1959

Elle compte deux présidents.

Vincent Auriol	1947-1954
René Coty	1954-1959

Cinquième République — 1959 à nos jours

À partir de 1965, le président de la République est élu au suffrage universel.

Charles de Gaulle	1959-1965 et 1965-1969
Georges Pompidou	1969-1974
Valéry Giscard d'Estaing	1974-1981
François Mitterrand	1981-1988 et 1988-1995
Jacques Chirac	depuis 1995

Index

Les chiffres en gras indiquent que le mot se trouve dans la chronologie.
Les chiffres en maigre renvoient aux pages où le sujet est le plus largement développé, et les chiffres en italique, aux illustrations.

Crédits photographiques

Couverture : h © Photo RMN, Versailles et Trianon – **gh** Cliché BNF - Paris – **gm** G. Dagli Orti, musée Tessé, Le Mans – **gb** A. Noguès/Sygma – **b** © Photo RMN, Versailles et Trianon
Dos : G. Dagli Orti
Gardes : P. Willi/Explorer Archives, la rue Montorgueil pavoisée, par Claude Monet (musée des Beaux-Arts, Rouen)
Page titre : G. Dagli Orti, musée de la Ville de Paris, musée Carnavalet
2-h G. Dagli Orti, château de Versailles – **2-b** G. Dagli Orti, scribe du Xe s. (Archives du dôme de Modène) – **3-h** ERL Sipa-Icono, Parade devant les Tuileries en 1801 – **4-hg** Cliché BNF - Paris – **4-hm** Cliché BNF - Paris – **4-hd** Bridgeman-Giraudon, Roy Miles Fine Paintings, Londres – **4-mhg** G. Dagli Orti, Musée lapidaire, Avignon – **4-mbg** Dessin de Eddy Krähenbühl d'après la tapisserie de Bayeux – **4bg** Rheinisches Landesmuseum Bonn, guerrier franc – **4-md (de haut en bas)** Lauros-Giraudon – Cliché BNF - Paris – Bridgeman-Giraudon, British Library, Londres – G. Dagli Orti, Bibliothèque publique et universitaire, Genève – G. Dagli Orti, musée Tessé, Le Mans – **4-bd** © Photo RMN/R. G. Ojeda, musée du Louvre – **5-hg** © Photo RMN, Versailles et Trianon – **5-hm** Lauros-Giraudon, Bibliothèque nationale de France, Cabinet des Estampes – **5-hd** Renault Communication – **5-mg (de haut en bas) :** G. Dagli Orti, musée Carnavalet – Giraudon, musée Marmottan, Paris – H. Josse, Bibliothèque nationale de France, Cabinet des Estampes – J. Vigne – **5-bg** Collection Kharbine-Tapabor/ADAGP, musée de l'Affiche – **5-mhd** Tallandier/ © Harlingue-Viollet – **5-mbd** Agence France-Presse – **5-bd** © P. Zachmann/Magnum – **6 (de haut en bas)** Lauros-Giraudon, statue-menhir n° 4 (collection Société des lettres de l'Aveyron, musée Fenaille, Rodez) – Lascaux II - cliché Régie départementale du tourisme de la Dordogne – G. Dagli Orti, Musée lapidaire, Avignon – Musée des Antiquités, Rouen – Cliché BNF - Paris – **7-h** Statens historiska museum, Stockholm – **7-b** © Photo RMN/J. Schormans, Fragment de mosaïque, le boulanger (musée des Antiquités nationales, Saint-Germain-en-Laye) – **8-h** Lauros-Giraudon, Vénus à la corne de Laussel, Dordogne (musée des Antiquités nationales, Saint-Germain-en-Laye) – **8-m** J.-L. Lénée/Laboratoire départemental d'Archéologie – **8-b** J. Labbé/Pix – **9-h** Lascaux II - cliché Régie départementale du tourisme de la Dordogne – **9-m** © Photo RMN/J. Schormans, la « Dame de Brassempouy » (musée des Antiquités nationales, Saint-Germain-en-Laye) – **9-b** Bildarchiv Preussischer Kulturbesitz, guerrier celte du IIe s. av. J.-C. (Staatliche Museen, Antikensammlungen, Berlin) – **10-h** G. Dagli Orti, scène de halage sur la Durance (Musée lapidaire, Avignon) – **10-m** Cliché BNF - Paris, denier de L. Hostilius Saberna – **10-bg** J.-D. Sudres/Diaf, musée des Poteries gallo-romaines (Millau) – **10-bd** G. Dagli Orti, musée d'Alésia – **11-h** Lauros-Giraudon, sarcophage de l'évêque Concordius, IVe s. (Musée lapidaire d'art chrétien, Arles) – **11-m** Lauros-Giraudon, musée de la Civilisation gallo-romaine, Lyon – **11-b** Gauthier/Pix – **12-h** DR, soldats endormis, boucle en ivoire (Notre-Dame-de-la-Major, Arles) – **12-b** Flammarion-Giraudon, Dumbarton Oaks Collections, Washington – **13-h** Musée des Antiquités, Rouen, la châsse de Mumma – **13 mg** © J.-L. Boutillier/musée de Picardie, Amiens – **13-md** G. Dagli Orti – **13-b** G. Dagli Orti, bronze doré – **14-h** Stadtbibliothek, Trèves, ambassade carolingienne, détail – **14-b** © Photo RMN, musée du Louvre – **15-h** Cliché BNF - Paris, Moïse enseignant la loi, miniature (Première Bible de Charles le Chauve) – **15-m** © Musée de l'Armée, service photographique, collection B. Franck – **15-b** Giraudon – **16-h** Dessin de Eddy Krähenbühl d'après la tapisserie de Bayeux – **16-b** Tallandier, Stiftbibliothek, Saint-Gall – **17-h** Dessin de Eddy Krähenbühl d'après la tapisserie de Bayeux – **17-mg** Cliché BNF - Paris, miniature – **17-md** Statens historiska museum, Stockholm – **17-b** Giraudon, trésor de la cathédrale de Nancy – **18 (de haut en bas)** S. Chirol, vitrail de la cathédrale de Chartres – Cliché BNF - Paris – F. Bouillot/Marco Polo – Cliché BNF - Paris – Bridgeman-Giraudon, British Library, Londres – **19-h** © Karel A. de Gendre/ANA, gargouille de Notre-Dame de Paris – **19-b** Cliché BNF - Paris, bataille d'Azincourt, miniature – **20-h** G. Dagli Orti, un roi et une reine à table (Bibliothèque municipale, Poitiers) – **20-b** Bibliothèque municipale d'Arras – **21-h** Cliché BNF - Paris, miniature – **21-mg** © R. Bonin, bas-relief de l'église d'Avenas-en-Beaujolais – **21-md** Bulloz, Archives nationales – **21-b** © CNMHS/P. Cadet – **22-h** Lauros-Giraudon, le Jugement dernier, détail du tympan de Sainte-Foy de Conques – **22-m** Cliché BNF - Paris, miniature – **22-b** Bibliothèque municipale d'Amiens, miniature – **23-h** F. Bouillot/Marco Polo – **23-m** Cliché BNF - Paris, un musicien du XIIIe s. – **23-b** Oroñoz/Artéphot – **24-25** Cliché BNF - Paris, miniature extraite du Roman de Godefroy de Bouillon, XIVe s. – **25-hd** Giraudon, Bibliothèque nationale de France, Paris – **26-h** Cliché BNF - Paris, Philippe Auguste prend Le Mans et Tours – **26-b** Lauros-Giraudon, musée d'Art et d'Archéologie, Moulins – **27-h** Cliché BNF - Paris – **27-mg** © Photo RMN/Willi, musée du Louvre – **27-md** Cliché BNF - Paris, Coutumes de Toulouse, 1296 – **27-b** Giraudon, Bibliothèque nationale de France, Paris – **28-h** J. Vigne – **28-m** J. Vigne, Bibliothèque de l'Arsenal, Paris – **28-bg** G. Dagli Orti, lettrine, Bibliothèque municipale de Dijon – **28-bd** © Karel A. de Gendre/ANA – **29-h** J. Vigne – **29-m** Cliché BNF - Paris, Armorial d'Auvergne – **29-b** G. Dagli Orti, musée Goya, Castres – **30-h** Cliché BNF - Paris, bataille d'Azincourt, miniature, détail (Vigiles de Charles VII) – **30-b** Giraudon, musée Condé, Chantilly – **31-h** Cliché BNF - Paris, Vigiles de Charles VII – **31-m** DR – **31-b** Bibliothèque Sainte-Geneviève, Paris/Photo Studio Ethel – **32-h** Giraudon, Septembre, Très Riches Heures du duc de Berry (musée Condé, Chantilly) – **32-mg** Giraudon, portrait par Jean Fouquet (musée du Louvre, Paris) – **32-md** © Photo RMN/G. Blot, Versailles et Trianon – **32-b** H. Josse, école française, XVIe s. (château de Plessis-lès-Tours) – **33-h** Bridgeman-Giraudon, British Library, Londres – **33-m** DR – **33-b** Bibliothèque municipale de Rouen – **34 (de haut en bas)** G. Dagli Orti, musée de la Ville de Paris, musée Carnavalet – Giraudon, musée Condé, Chantilly – G. Dagli Orti, Bibliothèque publique et universitaire, Genève – Bridgeman-Giraudon, Roy Miles Fine Paintings, Londres – © Photo RMN/R. G. Ojeda, musée du Louvre – **35-h** © Photo RMN, musée du Louvre – **35-b** Giraudon, Bibliothèque nationale de France, Paris – **36-h** Pix, château de Chenonceau – **36-b** Cliché BNF - Paris – **37-h** Giraudon, musée Condé, Chantilly – **37-m** Lauros-Giraudon, école française, XVIIe s. (château de Versailles) – **37-b** G. Dagli Orti, Villa Farnese, Caprarola – **38-h** G. Dagli Orti, Le Temple de Lyon nommé Paradis, tableau anonyme (Bibliothèque publique et universitaire, Genève) – **38-m** Lauros-Giraudon, portrait attribué à François Clouet (musée de la Ville de Paris, musée Carnavalet) – **38-bd** © Photo RMN, école française, XVIe s. (musée du Louvre) – **38-bg** Lauros-Giraudon, musée Condé, Chantilly – **39-h** G. Dagli Orti, école française, XVIe s. (musée de la Ville de Paris, musée Carnavalet) – **39-m** A. Held/Artéphot, musée des Beaux-Arts, Lausanne – **39-b** © Photo RMN, école française, XVIe s. (Versailles et Trianon) – **40-h** G. Dagli Orti, portrait de Louis XIII par Juste d'Egmont (château de Versailles) – **40-b** Bulloz, peinture de J. de Saint-Igny (musée des Arts décoratifs, Paris) – **41-h** G. Dagli Orti, tableau de A. F. Van der Meulen (musée de la Ville de Paris, musée Carnavalet) – **41-m** Giraudon, California Palace of the legion of honor, San Francisco – **41-b** Lauros-Giraudon, portrait par Philippe de Champaigne (musée Condé, Chantilly) – **42-h** G. Dagli Orti, tableau de Laumosnier d'après Charles Le Brun et A. F. Van der Meulen (musée Tessé, Le Mans) – **42-mg** Giraudon, portrait par Pierre Mignard (musée Condé, Chantilly) – **42-md** G. Dagli Orti – **42-b** G. Dagli Orti, gravure de Bonnart (musée de la Ville de Paris, musée Carnavalet) – **43-h** Bridgeman-Giraudon, tableau de A. F. Van der Meulen (Roy Miles Fine Paintings, Londres) – **43-m** © Photo RMN/G. Blot, atelier de A. F. Van der Meulen (Versailles et Trianon) – **43-b** © Photo RMN/G. Blot-C. Jean, tableau de Claude Guy Halle (Versailles et Trianon) – **44-45** © Photo RMN/G. Blot, Versailles et Trianon – **45-hd** Beaugeois/Pix – **46-h** © Photo RMN/Arnaudet, la marquise de Pompadour, par François Boucher (musée du Louvre) – **46-b** © Photo RMN, tableau de Pierre Lenfant, détail (Versailles et Trianon) – **47-h** © Photo RMN/R. G. Ojeda, tableau de Joseph Vernet (musée du Louvre) – **47-mg** Giraudon, tableau de Louise Élisabeth Vigée-Lebrun (château de Versailles) – **47-md** DR – **47-b** ©Photo RMN, peinture de Nicolas Hoffmann (musée de la Coopération franco-américaine, Blérancourt) – **48-h** Lauros-Giraudon, musée de la Ville de Paris, musée Carnavalet – **48-m** G. Dagli Orti, portrait anonyme (musée de la Ville de Paris, musée Carnavalet) – **48-bg** J.-L. Charmet, gravure de Guilleminot – **48-bd** G. Dagli Orti, tableau de Nicolas-André Monsiau (château de Versailles) – **49-h** Lauros-Giraudon, musée de la Ville de Paris, musée Carnavalet – **49-m** © Musée des Arts et Métiers, Paris/Photo Studio CNAM, tableau de Louis David – **49-b** Giraudon, gravure coloriée de Cl. L. Desrais, détail (Bibliothèque nationale de France, Paris) – **50 (de haut en bas)** © Photo RMN, Versailles et Trianon – G. Dagli Orti, musée de la Ville de Paris, musée Carnavalet – J.-L. Charmet, musée de la Ville de Paris, musée Carnavalet – H. Josse, Bibliothèque nationale de France, Cabinet des Estampes – J. Vigne – **51-h** Giraudon, usage des nouvelles mesures (mètre, litre…), gravure coloriée (musée de la Ville de Paris, musée Carnavalet) – **51-b** © Boyer-Viollet – **52-h** Giraudon, Déclaration des droits de l'homme et du citoyen (musée de la Ville de Paris, musée Carnavalet) – **52-b** © Photo RMN, école française, XVIIIe s. (Versailles et Trianon) – **53-h** G. Dagli Orti, d'après Louis David (musée de la Ville de Paris, musée Carnavalet) – **53-mg** G. Dagli Orti, musée de la Ville de Paris, musée Carnavalet – **53-md** Giraudon, portrait par F. L. Lonsing (musée des Beaux-Arts, Bordeaux) – **53-b** G. Dagli Orti, musée de la Ville de Paris, musée Carnavalet – **54-h** J.-L. Charmet – **54-m** J.-L. Charmet, musée de la Ville de Paris, musée Carnavalet – **54-b** Giraudon, portrait par J.-B. Guérin (musée d'Histoire et des guerres de Vendée, Cholet) – **55-h** Giraudon, tableau de Thomas Naudet (musée de la Ville de Paris, musée Carnavalet) – **55-m** G. Dagli Orti, musée de la Ville de Paris, musée Carnavalet – **55-bg** G. Dagli Orti, gravure de Tassaert (musée de la Ville de Paris, musée Carnavalet) – **55-bd** G. Dagli Orti, école française, XVIIIe s. (musée de la Ville de Paris, musée Carnavalet) – **56-h** © Photo RMN, « Le Dix Huit Brumaire », par F. Bouchot (Versailles et Trianon) – **56-b** © Photo RMN/P. Willi, tableau de Louis David, détail (Versailles et Trianon) – **57-h** © Photo RMN, tableau de Ch. Meynier (Versailles et Trianon) – **57-m** G. Dagli Orti, fresque de la salle de bains de Napoléon à Rambouillet – **57-bg** J.-L. Charmet, Bibliothèque des Arts décoratifs – **57-bd** G. Dagli Orti, gravure de Maurin (musée du Nouveau-Monde, La Rochelle) – **58-h** Giraudon, tableau de Claude Monet (musée Marmottan, Paris) – **58-m** © Photo musée de l'Armée, Paris, Aigle du régiment des Grenadiers à cheval de la Garde impériale (1804-1814) – **58-b** H. Josse, Tableau de H. Vernet, détail (château de Grosbois) – **59-h** Bulloz, aquarelle de A. I. Sauerweid (musée de la Ville de Paris, musée Carnavalet) – **59-b** Bulloz, estampe de J. Rugendas (Bibliothèque du musée de l'Armée) – **60-h** Giraudon, portrait de Charles X, par J. A. D. Ingres (musée Bonnat, Bayonne) – **60-b** Lauros-Giraudon, tableau de H. Lecomte (musée de la Ville de Paris, musée Carnavalet) – **61-h** J.-L. Charmet, lithographie de Sorriel (musée de la Ville de Paris, musée Carnavalet) – **61-m** Lauros-Giraudon, tableau de A. C. F. Decaen, d'après H. Vernet (musée Condé, Chantilly) – **61-b** J.-L. Charmet, daguerréotype (musée de la Ville de Paris, musée Carnavalet) – **62-h** H. Josse, Bibliothèque nationale de France, Cabinet des Estampes – **62-63-b** J.-L. Charmet, aquarelle de F. Bonhommé (musée des Arts et Métiers) – **63-h** Lauros-Giraudon, Bibliothèque nationale de France, Cabinet des Estampes – **63-m** G. Dagli Orti : La gare de l'Est vers 1850 (bibliothèque des Arts décoratifs) – **63-b** J.-L. Charmet, daguerréotype – **64-h** Lauros-Giraudon, le Balcon, par Édouard Manet (musée d'Orsay) – **64-b** Roger-Viollet – **65-h** J.-L. Charmet, musée de la Ville de Paris, musée Carnavalet – **65-m** © Photo Musée de l'Armée, Paris, tableau de P. Perboyre – **65-b** Tallandier/photo Gray, daguerréotype – **66-h** Lauros-Giraudon, le Triomphe de la République, lithographie (musée de la Ville de Paris, musée Carnavalet) – **66-b** © Photo RMN, d'après J. Garnier (Versailles et Trianon) – **67-h** J. Vigne – **67-m** J.-L. Charmet, une barricade place Vendôme (musée de la Ville de Paris, musée Carnavalet) – **67-b** J.-L. Charmet – **68-h** Explorer/Mary Evans – **68-m** © Boyer-Viollet – **68-b** J.-L. Charmet, la tour Eiffel en chantier en 1888 – **69-h** Musée d'Art et d'Industrie de Saint-Étienne – **69-m** Collection Kharbine-Tapabor – **69-b** Musée Peugeot Sochaux, véhicule Peugeot 2 places et spider 1899 – **70-71** Archives Photeb/musée de l'Air – **71-hd** J.-L. Charmet – **72 (de haut en bas)** Collection Kharbine-Tapabor/ADAGP, musée de l'Affiche – J.-L. Charmet, le Défilé de la Victoire le 14 juillet 1919 (musée de l'Armée) – © Harlingue-Viollet – © Keystone – © P. Zachmann/Magnum – **73-h** © J.-P. Charbonnier/Top, 4 CV Renault en octobre 1953 – **73-b** Photo Aérospatiale, Toulouse, Concorde – **74-h** Musée Albert-Kahn/Photo P. Castelnau, pièce de 370, Nord, près de Steenwerk (détail) – **74-b** © Photo musée de l'Armée, Paris/J. Delignières, 128e de ligne, la Marne, 1914, par R. Desvarreux – **75-h** Süddeutscher Verlag, Munich – **75-mg** Tallandier – **75-md** © Branger-Viollet – **75-b** © Collection Viollet – **76-h** Collection Kharbine-Tapabor, affiche « Elle s'était fait couper les ch'veux… » – **76-m** © Roger-Viollet – **76-b** Collection Kharbine-Tapabor/ADAGP, affiche « La Revue nègre », par P. Colin, détail (musée de l'Affiche) – **77-h** Tallandier/ © Harlingue-Viollet – **77-m** L'Illustration/Sygma, Aristide Briand à la SDN, le 8 septembre 1926 – **77-b** Archives Larousse – **78-h** © Collection Viollet – **78-m** Tallandier, Bibliothèque nationale de France, Paris – **78-b** Archives Photeb – **79-h** © Harlingue-Viollet – **79-m** Archives Larousse – **79-b** Tallandier, Bibliothèque nationale de France, Paris – **80-h** Tallandier, la ruée des blindés allemands en 1940 – **80-m** Tallandier – **80-b** Tallandier, Bibliothèque nationale de France, Paris – **81-h** Tallandier/Photo A. Gamet – **81-m** Archives Larousse – **81-b** © Collection Viollet – **82-h** Agence France-Presse – **82-mg** Archives Larousse/ © Keystone, Jean Moulin en 1942 – **82-md** L'Illustration/Sygma – **82-b** © A. Zucca/BHVP, Vieil homme à l'étoile jaune – **83-h** Hulton Getty/Fotogram-Stone Images – **83-m** Tallandier – **83-b** © Keystone – **84-h** © Keystone, les femmes votent pour la première fois en France – **84-m** Tallandier/© Roger-Viollet – **84-85-b** © Keystone – **85-h** Renault Communication – **85-m** R. A./Gamma – **86-h** Photo Aérospatiale, Toulouse, Concorde – **86-b** Paris-Match/Azoulay – **87-h** Associated Press Ltd – **87-m** © B. Barbey/Magnum – **87-b** Vassal/Gamma – **88-h** © P. Zachmann/Magnum, banlieue, Argenteuil – **88-mg** © A. Noguès/Sygma – **88-md** © Abbas/Magnum – **88-b** Sygma – **89-h** C. Mazières/Imapress – **89-m** © A. Noguès/Sygma – **89-b** © A. Noguès/Sygma, sommet des sept pays les plus industrialisés, devant la pyramide du Louvre – **90-91** Raphaël Gaillard/Gamma, défilé J.-P. Goude le 14 juillet 1989 – **91-hd** Giry/Sygma

Cartographie : Laurent Blondel

Photogravure : Offset Publicité, Maisons-Alfort – Imprimerie MAME, Tours – Dépôt légal : septembre 1997 – N° de série éditeur : 19420
Imprimé en France (Printed in France) 652410-02, janvier 1998